JUILLET

Œuvres de Marie Laberge

Romans

Aux Éditions du Boréal

Juillet, 1989

Quelques Adieux, 1992 (collection « Boréal compact », 1997)

Le Poids des ombres, 1994

Annabelle, 1996

La Cérémonie des anges, 1998

Théâtre

C'était avant la guerre à l'Anse à Gilles, VLB éditeur, 1981 ; Les Éditions du Boréal, 1995

Ils étaient venus pour…, VLB éditeur, 1981 ; Les Éditions du Boréal, 1997

Avec l'hiver qui s'en vient, VLB éditeur, 1982

Jocelyne Trudelle trouvée morte dans ses larmes, VLB éditeur, 1983 ; Les Éditions du Boréal, 1992

Deux Tangos pour toute une vie, VLB éditeur, 1985 ; Les Éditions du Boréal, 1993

L'Homme gris suivi de *Éva et Évelyne*, VLB éditeur, 1986 ; Les Éditions du Boréal, 1995

Le Night Cap Bar, VLB éditeur, 1987 ; Les Éditions du Boréal, 1997

Oublier, VLB éditeur, 1987 ; Les Éditions du Boréal, 1993

Aurélie, ma sœur, VLB éditeur, 1988 ; Les Éditions du Boréal, 1992

Le Banc, VLB éditeur, 1989 ; Les Éditions du Boréal, 1994

Le Faucon, Les Éditions du Boréal, 1991

Pierre ou la Consolation, Les Éditions du Boréal, 1992

Marie Laberge

JUILLET

Roman

Boréal

Les Éditions du Boréal remercient le Conseil des Arts du Canada ainsi que le ministère du Patrimoine canadien et la SODEC pour leur soutien financier.

Illustration de la couverture : Pierre Lesieur, sans titre
Photographie : Jacqueline Hyde

Toute ressemblance avec des personnes ou des faits réels ne peut être que fortuite.

Dépôt légal : 3e trimestre 1993
Bibliothèque nationale du Québec

Diffusion au Canada : Dimedia
Diffusion en Europe : Les Éditions du Seuil

Données de catalogage avant publication (Canada)
Laberge, Marie, 1950-
Juillet
2e éd. -
(Boréal compact ; 44)
ISBN 2-89052-581-3
I. Titre.

PS8573.A1688J84 1993 C843'.54 C93-097013-6
PS9573.A1688J84 1993
PQ3919.2.L32J84 1993

J'avance lentement, mort, et ma vision n'est plus mienne, elle n'est plus rien: c'est seulement celle de cet animal humain qui a hérité sans le vouloir de la culture grecque, de l'ordre romain, de la morale chrétienne et de toutes les autres illusions qui forment la civilisation où, moi, je ressens.

Où sont donc les vivants?

FERNANDO PESSOA

À Jacques De Decker

1

Le vacarme des oiseaux, juste avant l'aube dans la grisaille chargée de rose qui pesait sur la nuit, l'avait déjà réveillé. Il avait passé la nuit à lutter contre l'envie de se lever, à se réveiller par à-coups se demandant s'il n'avait pas trop dormi, si l'heure n'était pas déjà passée.

Maintenant, le soleil prenait la chambre d'assaut. Il accédait, en un long rectangle lumineux sur le plancher brillant comme du miel, au petit oasis du tapis persan près de son lit. «Quand il sera sur la courbe mauve de l'oiseau central, je me lève», se dit Simon.

Il était encore beaucoup trop tôt et il le savait. Il n'avait même pas à vérifier sur le réveil. Trop tôt ce chant enthousiaste des geais bleus qui vidaient leur réserve de graines sous la fenêtre, trop tôt ce soleil jaune encore barbouillé de rouge qui s'alanguissait par terre, trop tôt, c'est sûr. Depuis longtemps il n'avait pas été aussi excité. Depuis le jour de son mariage en fait. Cette année-là (mais Dieu que c'était loin!), il avait eu son lot d'émotions fortes: le doctorat avec les derniers examens et le mariage avec Charlotte. Depuis, tout lui semblait avoir été calme, presque serein. Même les grandes décisions, même la naissance de David, même son mariage... non, pas son mariage tout de même. Le jour du mariage de David il n'avait même pas réussi à manger. Et la nuit précédant les noces, il n'avait pas dormi une heure. Il en avait déduit qu'il s'en faisait pour son fils. Ou pour ce qui sonnait le glas de sa jeunesse à lui.

Simon bougea dans son lit, s'étira: il ne voulait pas troubler le plaisir de cette journée avec des angoisses vieilles de trois ans. Le soleil atteignait les premières volutes rose foncé qui précédaient l'oiseau sur le tapis. D'un seul mouvement il écarta les draps qui se gonflèrent, pleins d'eux-mêmes, avant de s'assoupir, et il se leva.

Il aimait être seul à la campagne. Cette maison le remplissait d'un tel bonheur, d'une telle quiétude qu'à chaque fois qu'il s'y trouvait seul il avait l'impression de s'offrir un cadeau magnifique, hors de ses moyens. Il sortit sur l'immense véranda et s'étira en s'agrippant aux poutres de soutènement. Il rit: Charlotte avait horreur de ce genre de gymnastique. Il profita de son absence pour ponctuer le mouvement illégal d'un large «ah!» à demi bâillé, à demi crié, quelque chose d'assez peu gracieux et, réjoui, il alla faire son café.

Le soleil éclaboussait la cuisine. Par les portes-fenêtres, Simon voyait une partie de ses roses dans l'immense jardin. Tout à l'heure, il faudrait les arroser pour les aider à passer la journée qui s'annonçait cuisante. Pas un souffle de brise dans le petit matin. Pas un nuage, pas même un minuscule début de brume chiffonnée à l'horizon: ce serait la journée de l'été, la journée exemplaire, l'étalon de l'année 87, la référence obligée, celle qui résumerait à elle seule toute la saison. C'était tout à fait le genre de Charlotte d'être née en juillet, dans la semaine la plus chaude, la plus belle de l'été. Il aurait juré que, soixante-cinq ans plus tôt, il faisait aussi chaud, aussi impeccablement beau qu'aujourd'hui.

La café sentait bon et gargouillait dans la cafetière. Le plancher était chaud sous ses pieds. Un taon trop pressé se cognait contre la porte moustiquaire; il insistait et se cognait encore en bourdonnant furieusement. Simon le regardait s'entêter en buvant son café. D'un seul coup, comme d'un ultime mouvement de rage, le taon se jeta sur le moustiquaire en grondant, puis, dans un ploc sec, il fut rejeté d'un coup et s'éloigna, presque propulsé par son dernier échec.

Simon arriva sur la terrasse en même temps que la chatte qui, à chaque pas, s'étirait jusqu'à atteindre le double de sa longueur.

«Salut ma guidoune. Où t'étais allée courailler?» Le regard dédaigneux de la guidoune suffit amplement pour lui indiquer de se mêler de ses affaires. Il étend la main vers elle et, tout de suite, elle se renverse sur le sol, ronronnante, coulante, le dédain enfui.

«T'as pas faim ma belle Jaune? Qu'est-ce que

t'as chassé encore? Pas un oiseau, ma belle? Pas un oiseau?» Les yeux fermés, religieusement vautrée dans la caresse, la Jaune s'étale voluptueusement, se répand dans son plus vaste, exposant sans pudeur son ventre blanc, la tête renversée de plaisir, la canine découverte dans un rictus d'extase.

«T'aimes pas ça, ma bedaine blanche, t'aimes pas ça du tout?» Pattes mollement écartées, la Jaune ronronne sans retenue, totalement abandonnée, les oreilles frémissantes. «Tu sais qui va venir te tirer la queue? Tu sais qui?» Le ronronnement s'amplifie, indifférent aux sombres prédictions de Simon.

«Tu t'en fiches, hein ma Jaune? Tu t'en fiches, ma grosse Jaune.» Il a beau agiter la patte molle, la Jaune fait preuve d'une totale incurie. Simon la caresse doucement, la Jaune tend le cou, s'étire pour mieux profiter.

«Attends que ton tortionnaire arrive... attends!» Simon arrête brutalement son geste, traversé par l'idée que son tortionnaire à lui aussi arrive. D'un coup de reins, la Jaune se retourne, exposant toute sa fourrure caramel. Elle marche précautionneusement sur les longues cuisses de Simon et va s'installer carrément sur son sexe. Simon pensif, distrait, reprend la caresse.

«Son tortionnaire...», non, on ne peut pas dire ça de la femme de David, on ne peut pas. C'est lui, seulement lui...

Toute l'angoisse de la nuit, toute l'excitation du jour semblent converger vers cette seule réalité: la femme de son fils s'en vient. La femme de son fils vient pour fêter Charlotte, sa femme à lui, sa femme qui célèbre aujourd'hui ses soixante-cinq ans.

Et il en a soixante-trois.

Et il désire cette femme. Cette femme qui est précisément la femme de son fils.

Cette femme, Catherine.

2

Ce n'est qu'une fois assise dans la voiture, attachée, enfin prête à partir que Catherine se rend compte qu'elle est de mauvaise humeur. Tellement de mauvaise humeur que c'en est presque de la mauvaise foi. Elle est raide, tendue, impatiente.

Pourtant Julien, sagement assis dans son siège de bébé, lui fait sa panoplie de gentillesses et on ne peut absolument pas accuser David de mal conduire. Même la journée s'annonce magnifique.

Alors? Fâchée de n'avoir aucune raison d'être si irritée, elle se tourne vers la fenêtre et regarde la ville défiler. Elle déteste les anniversaires. Le sien. Celui de David. Celui des autres. Et celui de Charlie encore plus! Voilà! C'est dit et décidé: aller passer une journée à préparer un repas pour les soixante-cinq ans d'une femme parfaite, d'une belle-mère parfaite, ça l'enrage.

«As-tu apporté le cadeau?»

Cette façon qu'a David de répéter les mêmes questions cent fois!

«Non, je l'ai jeté avant de partir. Je l'ai emballé, puis je l'ai jeté.»

David la regarde, stupéfait: «Excuse-moi.» Cette façon qu'a David de ne pas savoir rire pour désamorcer sa mauvaise humeur!

Julien, ravi de la promenade, scande son «maman» sur tous les tons. De gaie et franchement joyeuse, la tonalité glisse assez vite sur un mode plus plaintif, plus chigneux. Catherine se retourne, caresse le genou parfait de rondeur et de douceur: «Tu t'endors, mon bébé.»

Pour lui donner raison, Julien ferme un peu les yeux, cligne. Un gros soupir épuisé et il lui sourit presque pensivement. C'est au moment précis où David lui demande vingt-cinq cents pour le pont que Julien murmure: «Didou.»

Ça y est! Elle le savait bien! La Didou, ils ont oublié la Didou!

«David, as-tu apporté la Didou?»

«Catherine, je t'ai demandé vingt-cinq cents pour le pont... quoi?» Comme toujours, David comprend à retardement. Ce n'est pas un manque d'intelligence, c'est l'acuité, la vitesse de réaction qui fait défaut à ce champion du délai.

— Sors à l'Île des Sœurs, David, il faut aller chercher la Didou.

David s'exécute sans discuter: la Didou étant garante de la paix familiale, il sait qu'ils ne peuvent, pas plus que Julien, s'en priver. Une fois seulement, ils ont passé outre et Julien, incapable de s'endormir sans sa couverture fétiche, les avait tenus éveillés presque toute la nuit.

Sentant le changement d'atmosphère dans la voiture, Julien réclame d'ailleurs de plus en plus fort. La température grimpe de dix degrés. Bizarrement, la mauvaise humeur de Catherine s'envole presque au même rythme que s'effectue le demi-tour. David, lui, ne trouve pas ça drôle: «T'aurais pas pu y penser?»

Catherine, guillerette, murmure:«Ça a l'air que non. Pas plus que toi en tout cas.»

Julien, au désespoir, frappe violemment du pied contre le siège de sa mère en criant sans arrêt: «Didou, la Didou... maman, la Didou!»

Catherine sourit, lui tend un petit bateau de plastique: «Attends Julien, on va la chercher.»

Mais Julien, doué de la patience de sa mère, lance le bateau à bout de bras en hurlant. Catherine ramasse le jouet en riant.

«Comment ça se fait qu'on l'a oubliée, veux-tu me dire?» Elle regarde David et s'étonne encore de son infatigable et inutile intérêt à expliquer ce qui ne le sera pas. «Parce que je ne voulais pas y aller, pense-t-elle sans le dire. Parce que je ne veux pas aller à cet endroit, dans cette maison, avec cet homme. Parce que ton père me rend folle. Parce que je déteste aller là-bas et me sentir idiote et imbécile. Voilà pourquoi on a oublié la Didou!»

David stationne dans l'allée, coupe le moteur. Ne persiste que le murmure désespéré de Julien: «Ma-man... Didou...» Catherine est déjà dehors. Elle entend David lui crier: «Appelle papa pour lui dire qu'on est en retard!»

En retard! Il est huit heures moins le quart et ils devaient partir à huit heures. Selon elle. Selon David, ils auraient dû partir la veille au soir. Mais là, Catherine a sauvagement résisté: une nuit sera amplement suffisante. David, pour faire à sa tête, s'est levé à six heures ce matin, a préparé le déjeuner de Julien, le sien, a tout placé dans la voiture (en oubliant la Didou) et s'est trouvé fin prêt pour le départ à sept heures et quart.

Elle entre dans la chambre de Julien: la Didou est là, tassée sous le petit lit, molle et mottonneuse, usée, presque déchirée par endroits, cette Didou pleine d'odeurs et de douceurs secrètes. Elle la frotte contre sa joue et comprend que Julien ne veuille pas s'en séparer: toute l'odeur de son bébé est dans ce carré de laine fatigué, cette couverture qu'elle n'ose plus laver de peur de voir Julien sombrer dans le désespoir.

Elle ressort en brandissant la couverture. Julien, le visage bouffi de larmes, tend les bras et enfouit sa face dans sa Didou en soupirant de soulagement. Il y frotte frénétiquement son nez mouillé.

«As-tu appelé?»

Ça y est, sa mauvaise humeur revient d'un coup, comme une colique.

«Non, David, j'ai été au plus pressé. J'y vais là.» Et elle repart.

En formant le numéro, elle est étonnée d'être encore si émue à l'idée de lui parler. Elle se tuerait! La sonnerie à l'autre bout. Est-ce qu'il dort encore? Est-ce qu'elle le réveille? Elle le voit dans cette chambre si belle, si blanche, si vaste et si déserte. Rien, à part le lit immense. Rien que ce lit blanc sur le plancher verni. La chambre de Simon. La chambre de Charlie. Elle raccroche, ulcérée. «C'est la dernière fois, se jure-t-elle, la dernière fois que j'y vais...» Et elle ne sait même pas comment elle va réussir à tenir parole. Elle ferme à clé, s'assoit dans la voiture, répond à David qui s'inquiète: «Il nous prendra quand on arrivera! Charlie n'arrive pas avant cet après-midi!»

«Veux-tu arrêter de l'appeler Charlie. Elle a un nom, tu sais.»

«Bon écoute, allons-y si on veut arriver.»

David soupire et repart.

Elle le regarde et se demande jusqu'à quand leur couple va durer. Jusqu'à quelle limite ils pourront, l'un et l'autre, endurer.

Et dans ce matin parfait de juillet, alors qu'ils traversent le fleuve qui scintille sous le soleil, laissant derrière eux la ville déjà étouffante, Catherine sait que maintenant, déjà, ils ont trop enduré et que l'issue de ce couple qu'ils forment de peine et de misère est aussi proche que fatale.

Elle regarde son fils qui raconte une épopée à Didou et se cale sur son siège, consciente du répit qui lui est offert avant d'affronter son démon personnel.

Où était-il, pourquoi ne répondait-il pas?

Simon, où étais-tu?

Il est dans ses roses, passionné, enivré par ses roses. Elle le devine en train de prendre soin de ses roses, de les tailler, les contempler.

Elle est jalouse même de ses roses.

Et ça lui laisse un goût âcre de mécontentement dans la bouche. Il y a si longtemps maintenant qu'elle n'a plus été heureuse d'être la femme qu'elle est.

3

Ses roses.

Ça avait commencé doucement, tout doucement, cette passion, imperceptiblement. Il avait acheté ses premiers rosiers comme ça, par hasard, au marché du village. Sans savoir d'ailleurs, le travail que cela demanderait.

Puis, peu à peu, à mesure qu'elles se développaient, à mesure qu'il les connaissait, il s'était pris d'amour pour elles. Le jardin qui, au début, n'occupait qu'une mince lisière près de la maison s'était étendu et avait pris, en dix ans, des proportions massives. On pouvait maintenant parler d'une roseraie où toutes les nuances du blanc au violet foncé s'étalaient dans un luxe inouï.

Les soins qu'exigeaient ses roses n'étaient rien en comparaison du plaisir et de la détente qu'en retirait Simon. Dès le printemps, il binait, sarclait, raclait et, chaque année, il agrandissait la roseraie. On pouvait y circuler, s'y asseoir, rêver. Et comme le terrain était immense, avec le boisé tout au fond, il restait toujours de l'espace à cultiver.

Simon ne voyait sa retraite qu'à travers les roses. Il projetait d'en faire des croisements et même, pourquoi pas, d'en inventer de nouvelles.

Quand le téléphone sonna, il était tout au fond du jardin, achevant d'arroser. Qui pouvait appeler si tôt? L'idée d'une urgence au début d'une journée si idéale l'empêcha de courir pour répondre. Il marchait vers la terrasse en se disant que, si c'était pressé, on laisserait sonner. En posant le pied sur la première marche, la sonnerie cessa. Parfait!

Il n'était même pas huit heures!

Et si c'était David?

Il se retourna et contempla le jardin: les roses encore dans l'ombre épaisse des arbres, s'épanouissaient, l'herbe verte bien tondue, les arbres immenses au fond du parc, le sentier qui menait à la rivière, non, la journée était trop parfaite pour s'inquiéter.

Il se dit qu'il dresserait la table dehors, sous l'orme et que si la chaleur s'avérait aussi pesante qu'elle semblait vouloir le devenir, cet endroit resterait frais.

Il se dit qu'il irait au marché chercher les légumes tout de suite avant l'arrivée de David.

Il se dit que ce serait vraiment une belle fête pour Charlotte et il espéra qu'elle ne serait pas trop fatiguée de sa tournée à Boston. Cette idée de faire une conférence au mois de juillet, alors que tout le monde est en vacances!

Il se dit qu'il essaierait de ne pas se trouver seul

avec Catherine. De ne pas le désirer seulement.

Il se dit qu'il était peut-être temps de cesser de se mentir. Cette fête, il l'avait élaborée pour se trouver seul, ne fût-ce que trente minutes, avec Catherine.

La conférence à Boston l'avait bien arrangé. Non, il n'irait pas, il n'accompagnerait pas Charlotte. Il resterait à la campagne à lui mitonner un repas d'anniversaire. Il lui ménagerait la surprise de son fils et de son petit-fils.

Il se demanda depuis quand il jouait comme ça à la cachette avec lui-même, à se trouver des prétextes, à exploiter la moindre excuse pour se retrouver en présence de Catherine.

Au début, au tout début, ça n'avait été que le charme de la découverte. Il était heureux d'apprécier celle que son fils aimait.

Et puis, très vite, il s'était mis à rire avec elle, à la comprendre avant qu'elle ne parle, à la deviner, à sourire en sachant d'avance que son humour allait frapper.

Et à parler avec elle. Et à se sentir libre, heureux et jeune, follement, irrésistiblement jeune avec elle, par elle.

Et à penser à elle, comme elle, pour elle.

Et à s'acheter un manteau en pensant à son choix à elle. Et l'écharpe en voyant avec ses yeux à elle. Ses yeux foncés, ses yeux brillants, brûlants. Ses yeux noirs de femme fatale. Ses yeux de gitane.

Quand avait-il cessé de l'apprécier pour se mettre à l'aimer? Question inutile, vaine. Tout de suite, ou presque.

La femme de son fils.

Rendu là dans ses pensées, devant ce mur d'impossible, il rentra mettre un t-shirt pour aller au marché du samedi.

De sa chambre, il entendit la sonnerie grêle de la bicyclette de Stephan. Huit heures et quart, il s'était levé tôt, Stephan.

4

David espérait que Catherine pourrait dormir. Elle avait l'air de s'assoupir. Julien aussi, le visage collé sur la Didou, la magique.

Il n'était pas inquiet, il connaissait Catherine: elle chicanait, elle rouspétait, mais elle serait parfaitement de bonne humeur pour la fête. Non, c'est avant qu'elle n'aimait pas ça, avant qu'elle renâclait, se cabrait. «Elle n'a jamais aimé aller à la campagne, chez mes parents», se dit David. Mais, au fond, il est bien près de croire qu'elle n'a jamais aimé ses parents, point à la ligne.

Pour sa mère, c'est net: Charlotte lui tombe radicalement sur les nerfs. Pour son père, c'est plus difficile à dire: quelquefois, il semble lui plaire, la faire rire en tout cas, mais Catherine ne se montre jamais enthousiaste pour aller les voir.

De toute façon, depuis quand Catherine s'était-elle montrée enthousiaste? Il ne pourrait même pas le dire. Depuis sa dernière promotion? Non. Son travail importait, mais pas l'avancement. Depuis Julien? Pas vraiment non plus. David renonça à poursuivre son enquête qui risquait de l'entraîner sur une pente trop glissante à son goût. L'introspection au sujet de Catherine le mettait trop mal à l'aise pour se la permettre une journée comme celle-là.

Il songea plutôt à la conversation qu'il souhaitait avoir avec son père. Cela devenait un rituel: à chaque fois qu'il prenait la route de la campagne, il rêvait de cette conversation qui, bien sûr, ne se déroulait jamais ni dans cet ordre, ni avec cette profondeur.

David n'était ni disert, ni persévérant: la gêne des autres le bloquait très vite. Et parler à son père, sérieusement, lui semblait un tâche surhumaine. En tout cas énorme et presque démesurée pour lui.

Mais il en avait envie. Depuis longtemps. Depuis avant son mariage, même.

Il aurait voulu être légitimé dans ses choix par son père. Mais il n'avait jamais obtenu rien d'autre qu'une adhésion polie. Même quand il n'était pas d'accord, son père ne le manifestait pas. David ignorait les raisons de cette réserve, mais il était bien près de croire que son père ne voyait pas d'intérêt à approfondir une relation avec lui parce que lui, David, n'avait tout simplement pas assez de substance à ses yeux.

Il se savait irritant, lassant et obséquieux avec ses questions. Charlotte le lui avait assez dit: «N'attaque pas ton père avec tes questions, laisse-le s'intéresser par lui-même, laisse-lui le loisir d'en poser une.» Mais cette technique permettait à Simon de ne poser aucune question et toute la stratégie s'arrêtait là.

On lui proposait un nouvel emploi. Dans le privé. Une grosse maison. Des architectes connus qui avaient beaucoup de contrats gouvernementaux.

Une grosse affaire.

David ne l'avait dit à personne encore. Il gardait la primeur pour son père. Comme un cadeau, un présent. Il voulait avoir son avis, en discuter avec lui, évaluer les risques, la stimulation professionnelle, les chances d'avancement, l'intérêt du travail. La création même. Depuis qu'il était architecte, il ne s'occupait que de rénovation. On construisait de moins en moins d'immeubles neufs: trop cher. Avec cette nouvelle équipe, il pourrait probablement dessiner du neuf, des projets de construction. Est-ce que cela ne valait pas le risque?

Excité, heureux, David imaginait son père tout à l'heure, son plaisir, sa fierté aussi de savoir qu'on pressentait son fils pour un bureau d'architectes prestigieux.

Il n'en avait pas encore parlé à Catherine. Il ressentait même ce silence et son projet d'en faire part à Simon prioritairement comme une petite trahison. Mais il avait besoin de cette conversation et la nouvelle lui servirait d'amorce.

Il voulait parler de son métier, de son avenir avec son père. De son fils aussi. Il voulait savoir s'il était un bon père, comment le devenir. Son fils était si important pour lui.

Et puis Catherine...

Il aurait bien voulu parler de Catherine aussi.

Mais c'était plus difficile, beaucoup plus ardu.

Comment parler de Catherine sans avouer sa profonde incompétence d'homme et de mari? Comment aborder un tel sujet sans faire l'autopsie d'un échec épouvantable? Comment rattraper ce qui lui semblait définitivement perdu? Sans même qu'il soupçonne seulement pourquoi?

Il n'avait plus fait l'amour avec Catherine depuis maintenant deux ans. La comptabilité était affreusement simple à faire: depuis qu'elle était enceinte de trois mois, lorsqu'elle le leur avait annoncé, à la campagne, au soixante-troisième anniversaire de Charlotte, soit exactement à la même date deux ans auparavant.

David se souvient très bien de ce repas et de la nuit qui suivit. Il avait presque volé son étreinte à Catherine qui, brusquement, s'était enflammée pour aussitôt retomber dans une indifférence qu'il avait mise sur le compte de sa nullité comme amant.

Comment aborder un tel sujet avec son père? Comment savoir ce qu'il fallait faire? Ou ne pas faire? Comment supporter la honte que quelqu'un le juge et le condamne comme un amant insignifiant ou piètre ou quelconque? Comment tolérer l'idée que ce soit son père qui le fasse? Et ce, après le jugement muet mais non moins pesant de Catherine? Le seul qui pouvait le rassurer, le réconforter était encore Simon.

Il ne savait pas s'il lui en parlerait. Vingt fois il avait amorcé sa tentative, vingt fois, il avait renoncé.

Charlotte, elle, ne demandait que ça, la confidence. Elle soupçonnait, devinait et s'empressait de sauter sur les apartés pour lui servir un: «Et Catherine, ça va?» des plus limpides, avec des yeux inquisiteurs. Mais David savait ce que Charlotte dirait, avec quel empressement elle condamnerait sa bru, pour lui remonter le moral, comment elle exalterait son héroïsme de mari. Charlotte lui était acquise à cent pour cent et, par là même, son opinion perdait de son intérêt pour lui.

Son père... c'était plus douteux et plus inquiétant. Que dirait-il s'il savait?

David était bien près de croire que son père se moquerait de lui. Ou peut-être que cela, cet incroyable déficit le distinguerait-il enfin aux yeux indifférents de son père?

Mais pouvait-il en parler à Simon, en faire un sujet d'appât pour intéresser son père sans en avoir jamais discuté avec Catherine?

Il y avait des trahisons que David était prêt à négocier avec lui-même pour l'obtention d'un statut aux yeux de son père, mais il conservait une certaine loyauté envers Catherine.

Et ce statut d'impuissant, d'impotent ou d'inapte ne le séduisait pas tant que ça.

Pourquoi imaginait-il son père en champion sexuel? En étalon presque? À cause de son charme, de sa séduction constante? Séduction que même lui ressentait profondément. Séduction du contrôle, du pouvoir sur lui-même que dégageait Simon.

Tous les gens qui avaient eu affaire à lui étaient unanimes: c'est un homme admirable. Et même sa mère, Charlotte, après plus de trente ans de mariage, avait de ces regards pour lui!

David soupira: son fils aurait-il autant de mal à l'aborder, lui parler? Il jeta un œil à Julien dans le rétroviseur et sourit, navré: il n'aurait jamais un charisme aussi impressionnant que celui de son père pour éloigner son fils de lui. Pire: il se voyait quémander une conversation «d'homme» à son fils comme il l'avait toujours fait avec son père.

Quelque chose lui disait qu'il n'aurait pas d'autre enfant. Parce qu'il ignorait encore totalement qui était cette femme qui dormait près de lui et pourquoi elle était mariée avec lui, David. Parce qu'il se sentait aussi incapable de lui parler à elle qu'il l'avait été avec son père.

Et David croyait, dans une mathématique candide mais solide, que s'il parvenait à être reconnu de son père, ou enfin distingué par lui, il réussirait peut-être ensuite à l'être de Catherine.

5

En sortant sur la véranda, Simon eut juste le temps d'admirer le magnifique et impeccable arrêt de Stephan, 14 ans, trop grand de partout, la face tavelée de taches de rousseur. Fils d'un voisin cultivateur, Stephan était doué pour le braconnage. Très fier de lui, il laisse tomber sa bicyclette et regarde Simon, l'air faussement désolé: «Fait chaud.» Simon rit: «Trop chaud pour les truites, non?»

— Non...

Stephan sort un rouleau de papier journal de sa besace, le tend à Simon, presque rose de plaisir: «Y en a juste une, mais c'est la truite à pépère Boileau.»

— Non?

Simon, impressionné, déroule le papier: une truite énorme, dodue, grasse luit dans le papier humide. Stephan ne se tient plus de fierté: «Ça m'a pris deux heures! Ça fait six mois que j'y coure après. J'avais dit à pépère Boileau que c'était des histoires, sa grosse truite. Je l'ai pognée avec un "daredevil".»

— Ça va y prendre des preuves à pépère...

— Ça, c'est sûr.

Simon enveloppe la truite, la tend à Stephan qui fait non: «Je vous avais promis de la truite pour la fête à votre femme.»

— Mais pas celle-là, voyons!

— C'est la seule que j'ai. Et comme y fait trop chaud...

— Combien tu veux?

Stephan sourit, rusé: «C'est cher...»

Simon marche: «Ah oui? Dans mes moyens quand même?»

— Sais pas... Cet automne, si on allait chasser le canard ensemble?

Il a l'air de ne pas y toucher, l'air d'un gars qui s'en fiche un peu. Simon part à rire: «Tu me ferais l'honneur de tes cachettes?»

— Peut-être... si vous me prêtez un fusil.

— C'est dans mes moyens.

— Yé!

Il remonte à bicyclette, enthousiaste.

— Attends Stephan!

Simon dépose la truite, rentre dans la maison, en ressort presque aussitôt avec un appareil-photo.

— Si jamais pépère Boileau a des doutes... on aura une preuve.

Le sourire de Stephan prenant la pose, la truite contre sa joue!

6

Au marché, il est encore un peu tôt, mais Simon aime bien éviter tout ce que la ville contient de vacanciers prestigieux. Tous ces confrères qui s'informent, commentent le temps, les cotes de la Bourse et la dégradation du paysage par les promoteurs immobiliers. Tous ces gens importants ou certains de l'être qui ne savent pas quoi faire de leurs vacances parce qu'ils ne lisent plus et ont oublié ou même enterré leurs passions.

Simon résiste à l'achat de quelques fleurs se disant que, pour une fois, il va couper des roses. Il achète tous les légumes qu'il trouve, des fruits et se dépêche d'aller chez le boucher avant qu'il ne fasse trop chaud et que le règne des mouches ne commence.

Le boucher, jovial, lui coupe son morceau «dans le meilleur» comme il dit. Quelle bénédiction que d'être apprécié de son boucher!

— Votre femme va bien?

— Numéro un, docteur, numéro un.

Le boucher est un des seuls de la région à l'appeler docteur. Simon avait un jour évité une septicémie à sa femme en lui donnant un conseil à propos d'un panaris mal soigné. Depuis ce temps déjà ancien, Simon est un client favorisé.

Les bras chargés, il repart vers sa voiture. Neuf heures et demie, Simon s'octroie son rituel café à la seule terrasse du marché. Le café est médiocre, mais la vue superbe. Il s'assoit et jouit du paysage en touriste béat: tout le marché avec la montagne baignée de soleil, les verts, du sombre au plus clair, s'étalant en dégradés raffinés. À chaque fois qu'il observe cette montagne, et quelle que soit la saison, Simon se dit qu'il devrait se mettre à la peinture. Essayer en tout cas. Tenter le coup. Depuis le temps que cette montagne l'impressionne, il devrait pouvoir en témoigner, non? Mais il n'ose pas... Comment rendre son côté sauvage et civilisé en même temps? Son côté «inviolé» et invitant? Autant d'aspérités que de cavités, autant de refus que d'accueil.

Un oiseau délire tout près, dans un sapin: la journée est déjà chaude.

Elle s'en vient.

Et ce n'est pas à sa femme, partie de Boston pour Montréal ce matin, qu'il pense. Ce n'est pas Charlotte qui s'en vient, même si elle s'en vient.

Elle est presque là, presque là, à proximité de lui, à le harceler de son corps, de ses yeux, de son rire. Elle s'en vient avec son énorme pouvoir de séduction, de tentation.

Il ferme les yeux, ébloui par la beauté, la

densité du soleil sur le vert de la montagne. Une intense sensation de vivre l'étreint, l'exalte.

Le café est presque bon.

7

Pourquoi son père n'est-il pas là? Arrivent-ils trop tôt? Trop tard? David déteste que les choses ne soient pas rangées, normales. L'appareil-photo est ouvert sur la petite table de l'entrée, les portes ne sont même pas fermées: ça paraît que Charlotte n'est pas encore là!

Catherine emmène Julien dans le jardin, pas trop près des roses. Elle a l'air tellement jeune. Il ne sait pas pourquoi elle a refusé de mettre la robe blanche qu'il aime tant. Elle a préféré mettre des shorts un peu abîmés, ceux qu'elle met pour faire de la bicyclette, les moins beaux. Pour la fête de sa mère!

Lui, il a eu du mal à ne pas emporter une cravate. Le sourire moqueur de son père qu'il voyait d'avance l'en a empêché. Mais il savait que Charlotte en aurait été touchée. Finalement, sa mère avait, comme lui, le sens des convenances. Sens qui, de toute éternité, avait manqué à son père. Son côté insouciant, imparfait, faisait partie de son charme en plus. David a toujours eu l'air si guindé à côté de son père. Mais pas à côté de sa mère.

David transporte tout le contenu du coffre de la voiture dans leur chambre et celle de Julien. Un bébé de dix-huit mois représente la valeur d'un petit déménagement, même pour un déplacement de deux jours. C'est incroyable tout ce qu'il faut prévoir. Et comme David n'est pas homme à se livrer à l'impondérable... ils partent toujours chargés pour un mois «d'imprévu».

Ces provisions irritent franchement Catherine qui, au lieu de discuter et de négocier, a adopté la position mitoyenne: David emporte ce qu'il veut, mais c'est lui qui charge et décharge.

Il l'entend rire dans le jardin. Il passe par la tonnelle, sur le côté de la maison et regarde de loin: Julien, fidèle à ses obsessions, a disséminé ses vêtements autour de lui. Il ne lui reste qu'un bas et sa couche. Catherine court derrière lui, le chapeau brandi comme une menace. Julien, se voyant rattrapé, hurle de plaisir et se précipite à quatre pattes pour mieux accélérer. Catherine se jette par terre et, adoptant sa méthode, le poursuit avec le chapeau entre les dents. Elle grogne pour le plus grand plaisir de Julien qui se retourne continuellement pour la regarder, perdant ainsi un sérieux terrain. Catherine le rattrape et pousse un cri de victoire. Julien se retourne, s'écroule dans l'herbe en roucoulant, tordu de rire, essoufflé, ravi.

Il se laisse mettre le chapeau, chatouiller, bécoter, il retire son bas et le lance dans l'herbe avec un mouvement rendu approximatif par sa hâte. Catherine saisit son pied et le renifle bruyamment au grand plaisir de Julien qui n'en peut plus de joie et s'agrippe aux cheveux de sa mère. Catherine le soulève en bougeant sa tête, puis, elle le saisit à bras-le-corps et le fait tourner très vite, à bout de bras.

David a envie de lui crier: «Pas trop fort», mais il se retient. Pas trop fort quoi? Le jeu, l'amour, la vie? Pour la première fois, David devine que ses sentiments ne sont pas si purs qu'il le croyait et que ses prudents conseils cachent peut-être autre chose.

En voyant Catherine se livrer aussi simplement, aussi follement au plaisir du jeu avec Julien, David sait bien qu'il y a plus d'amertume que de crainte dans son: «Pas trop fort». Il voudrait être à la place de Julien. Stupéfait, incrédule, il découvre que la seule branche vivante de son maigre arbre familial est celle de Julien et qu'il voudrait l'arracher pour obtenir enfin sa place. Sa place vivante.

Julien est maintenant niché, béat de plaisir, dans le cou de Catherine, les fesses à l'air, bavant et tapant sur les épaules de sa mère. David sourit: non, il n'est pas jaloux de son fils, il désire sa mère, ce n'est pas pareil. Il veut lui aussi mordre ses épaules et y enfoncer son visage. Il n'est pas jaloux. Seulement triste. Parce que ce qui est tant permis au fils risque bien d'être interdit au père. Les dents de Catherine font semblant de menacer le gras du mollet de Julien qui se tortille voluptueusement. Ses dents magnifiques qui luisent au soleil, ses dents gourmandes qui grignotent les genoux du bébé.

Il ne se rappelle même pas s'il a vraiment

embrassé sa femme ces deux dernières années. Il sait avoir désiré le faire au moins mille fois. L'avoir tenté peut-être... trois fois. Mais elle... pourquoi n'est-elle pas tentée? Que lui arrive-t-il? Comment fait-elle pour vivre normalement ou avec tant d'aisance ce qui lui semble à lui si fou, si insensé?

Peut-être suffit-il de ne pas l'aimer. Peut-être que s'il l'aimait moins, tout serait plus facile. Peut-être qu'elle ne l'aime plus. Ce bébé, ce Julien, était-ce le seul objectif de leur mariage?

Il ne faudrait pas, pense subitement David, il ne faudrait pas que tout se résume à Julien. Ce serait trop facile et de lui en vouloir et de tout réduire à un enfant venu trop tôt. Il y a autre chose, une autre cause. Il faudrait en parler à quelqu'un. Vite, avant qu'il ne soit trop tard pour tenter quelque chose.

Il entend une voiture arriver.

Son père se range à côté de sa voiture.

8

— Qu'est devenu le bébé Carrigan?

— Mort.

Catherine lève la tête de sa pâte, interdite. Simon est en train de découper l'énorme truite en minces filets, débarrassés de toute arête. Ses mains travaillent vite, précisément, le couteau aiguisé n'hésitant pas une seconde. Ils sont seuls tous les deux dans la cuisine baignée de lumière. Par la porte moustiquaire, ils entendent Julien commenter le travail de son père: un long monologue de «dablapercre-piti-kopeti». Catherine cesse de mélanger sa pâte: «Mort? De quoi?»

— De faim, Catherine.

— Vous les avez laissés faire?

Il dépose son couteau, la regarde: furieuse, enragée, désespérée, tout un mélange d'émotions qui la rendent presque provocante.

Le bébé Carrigan est un de leurs problèmes philosophiques. Simon, parmi tous les cas qui se présentent à lui à son hôpital, doit quelquefois faire face à des cas limites parce que non seulement éthiquement difficiles, mais déchirants ou particulièrement émouvants. Son travail de bioéthicien le passionne et pour rien au monde il ne voudrait troquer cette souffrance personnelle qu'il entraîne parfois contre la parfaite indifférence du scalpel. Il avait suffisamment opéré dans sa vie pour savoir que ce travail réduirait son intérêt pour l'humanité au lieu de l'augmenter. Depuis dix ans, il s'était spécialisé, avait étudié, donné des conférences en éthique médicale. Il était devenu une sommité qu'on invitait partout et que son hôpital prêtait même à d'autres hôpitaux pour des cas difficiles. Le bébé Carrigan était un de ceux-là.

Pourquoi en avoir parlé avec Catherine? Simon ne saurait pas dire... peut-être pour se rendre intéressant, par pure vanité, serait-il tenté d'expliquer. Mais il sait que ce serait faux. Bébé Carrigan, à cause de ses parents, de leur détermination à le sauver, à lutter, avait été un cas extrêmement douloureux. Un cas limite où ils s'étaient laissés gagner, tous, par la foi démesurée des parents, par leur volonté inflexible de *tout* essayer, leur refus tranchant de l'échec, de l'imperfection: la mort de leur bébé. Simon se sentait un peu coupable, trop lié aux émotions des parents, trop gagné par leurs arguments, il en avait parlé à Catherine qui s'était passionnée pour le cas. Et qui se passionne encore: «Vous n'êtes pas allés voir à New York?»

— Bien sûr qu'on est allés! À New York non plus ça n'a pas marché. On a même fait venir du

Texas une substance qui, peut-être, à trois pour cent, risquait de déclencher une réaction favorable. Rien. Est-ce qu'on allait garder un bébé gavé à vie, qui traîne sa machine pour pouvoir survivre, se nourrir? Savez-vous ce que signifie pour un enfant de ne jamais se servir de sa bouche durant ses premières années? On le sait à cause de certaines autres affections de l'appareil digestif: des problèmes énormes avec les sensations, une inaptitude presque totale au plaisir, une insensibilité quasi complète, plus de nerf, aucun réflexe. Une sorte de limbes sensuels. Mais même comme ça, on ne pouvait pas le garder artificiellement en vie en attendant de trouver une solution à son mal.

— Non?

Les mêmes yeux que les parents Carrigan se dit Simon. Il se demanda si le fait d'en avoir parlé avec Catherine n'avait pas rendu le problème davantage émotif que moral pour lui.

— Catherine... si on va par là, tous les hôpitaux vont être remplis de corps maintenus artificiellement en vie en attendant de trouver la médecine absolue, totale: la mort existe, il faut au moins le reconnaître, admettre que c'est fini, qu'on a tenté l'impossible, qu'on ne peut pas aller au-delà. Au-delà, ça s'appelle de l'acharnement et ce n'est pas pour le bébé Carrigan qu'on s'acharne, c'est pour soi, pour son propre désir d'achèvement, de perfection, d'ambition de vaincre ce qui est invincible.

— On ne pouvait plus rien faire?

— Ça faisait longtemps qu'on le savait. Rien ne pouvait lui fournir ces enzymes. Il fallait tout essayer, c'est tout. Et l'espoir fou des parents a été difficile à vaincre. Même maintenant, ils nous en veulent. Ils m'en veulent.

— Est-ce qu'ils vont poursuivre?

— Impossible. Décision prise en grand comité. Eux aussi, quand ça a été décidé, ont été d'accord. Momentanément d'accord.

— Momentanément?

— Savez-vous combien de temps ça a pris au bébé pour mourir d'inanition?

Catherine fait non, effrayée d'avance.

— Deux mois. Presque la moitié de sa vie. Comme on ne voulait pas qu'il souffre, on lui donnait du glucose pour enlever la sensation de faim. Déjà, à la quatrième semaine d'agonie, les parents avaient craqué. On les a supplié de ne plus venir, de ne pas assister à ce long coma, mais on ne peut pas obliger les gens à souffrir moins.

— Pourquoi ne pas l'aider à mourir, l'achever?

— Trop grave décision. Une fois le processus enclenché, c'est difficile de l'arrêter. Jamais je n'aurais prévu une aussi longue agonie.

— Mais pourquoi? Pourquoi ça a été si long?

— Peut-être que c'était un bébé très fort, très désireux de vivre. On ne sait pas... une forte constitution peut-être, malgré son infirmité. Peut-être le fol espoir des parents qui s'était communiqué à lui, il arrive qu'un enfant attende la permission des parents pour mourir... on ne sait presque rien des bébés.

Un temps dans la cuisine où une mouche, coincée dans le rideau, se débat furieusement. Dehors,

Julien fait des: «Oh... Aune!» pour célébrer l'apparition de Jaune, la chatte caramel. Catherine regarde son bébé dans l'herbe. David installe le parc (si inutile dans un espace si vaste) à l'ombre. Elle se retourne, Simon la regarde, grave.

Toute cette tendresse dans ses yeux. Elle voudrait pouvoir se jeter dans ses bras et pleurer tout simplement. Ne pas parler, ni même accéder au désir. Rien. Ses bras, ses yeux, sa chaleur qu'elle pressent. Ce corps. Elle hoche la tête, peinée.

— On ne sait presque rien de personne, Simon.

Elle tourne un peu sa pâte, essaie misérablement de récupérer le présent dans un bol de pâte mille-feuilles, puis, elle abandonne. Simon n'a toujours pas bougé, sa truite en plan devant lui.

— C'est arrivé quand?

Simon ne comprend pas bien: «Quoi? La mort ou la décision?»

— La décision.

— Il y a trois mois. Deux semaines après notre discussion.

Ah oui: cette fameuse promenade qu'ils avaient faite dans le printemps frisquet. Ils avaient tant marché que Simon en avait eu une bronchite. Enfin, c'est ce que Charlie avait dit. Charlie qui détestait les voir partir ensemble tous les deux. Charlie qui avait bien raison, se dit Catherine. Ils avaient examiné le problème, l'avaient retourné, disséqué, s'étaient choqués, réconciliés, désespérés. Ils avaient ri d'eux-mêmes, de leur passion commune, de leur plaisir, de leur entente profonde. Ils avaient été plus proches grâce à cette longue conversation que s'ils avaient été faire l'amour. Et ils le savaient. Enfin, Catherine s'en doutait et Simon désirait douter. Juste assez pour continuer et ignorer ou faire semblant d'ignorer le danger. Cette marche... David en avait été fou de rage. Sans le dire, bien sûr. Le civilisé David, la très gentille Charlotte et eux, les deux monstres incapables de dompter leurs envies.

Cette échappée dans la montagne glacée, accueillante parce que dénudée. Ils ne s'étaient plus revus depuis. Les circonstances...

Simon la regarde, retrouve leur marche, leur entente.

— J'ai failli vous appeler pour vous le dire. J'avais besoin de vous le dire.

Et il ne l'avait pas fait.

Comme le reste. Tous ces besoins qu'ils ont l'un de l'autre et qu'ils taisent ou font semblant d'ignorer. Parce que c'est comme ça. Il n'avait pas appelé. Simon... à quoi sert alors de dire: j'ai failli?

— Vous avez besoin d'aide?

David est là, gênant de bonne volonté, gauche de coopération inutile. Il fait trop de bruit dans leur silence, pense Catherine.

Elle brasse sa pâte énergiquement: une parcelle s'échappe et s'accroche sur la truite. Simon rit, retire le morceau délicatement: «Non, je pense que Catherine a de l'énergie pour trois.»

«Julien?» demande Catherine pour dire quelque chose.

— Il a trouvé Jaune.

— Ou c'est Jaune qui l'a trouvé, dit Simon. Peut-être tantôt, David, pour éplucher les légumes.

Catherine intervient: «On devrait le faire à la dernière minute, il fait tellement chaud, ils vont ramollir.» David sent bien qu'il est de trop. Il ajoute d'un ton guilleret qui fait presque pitié: «Vous savez où je suis, gênez-vous pas!» Et il sort.

Simon s'approche de Catherine. Elle arrête de brasser, le souffle court, il est tout près. Il retire de ses cheveux une parcelle de pâte et reste là, à proximité, le corps presque collé au sien, les yeux enfoncés dans les siens. Il triture la petite boule de pâte, la roule entre ses doigts, pensivement on dirait. Comme s'il pesait encore le pour et le contre, pense Catherine, troublée. Et cette proximité disponible mais non offerte la révulse tout à coup.

Julien crie encore un: «Aune!...» extasié. Catherine se détourne et va à la fenêtre.

Elle ne supporte plus ce désir à moitié exalté, à moitié refréné. Elle ne supporte plus cet amour muet qui se crie en silence.

Elle va hurler s'il continue, si cela ne cesse pas. Elle va craquer, tout casser, faire un scandale.

Il voit son dos se soulever sous le chandail de coton léger. Ses épaules frêles mais carrées et drôlement bien charpentées.

Il se trouve lâche.

Il met la boule de pâte dans sa bouche: c'est sucré. Il la goûte doucement en regardant le dos de Catherine se calmer.

9

David cherchait à s'occuper depuis presque deux heures. Il aurait bien voulu participer lui aussi, cuisiner quelque chose, mais il semblait bien que sa présence était non seulement inutile mais aussi nuisible. Il regarde Julien faire sa sempiternelle course avec Jaune qui, patiente et imperturbable, se déplace nonchalamment à chaque fois que la petite main se pose lourdement sur son cou.

Il avait rêvé de cuisiner avec son père et de lui parler pendant ce temps. «La» conversation qu'il projetait. Mais Catherine occupait déjà le poste. Et, il fallait l'admettre, elle avait la main pour les desserts.

Il fait déjà tellement chaud que David se demande s'ils vont pouvoir rester encore bien longtemps dans la cuisine. Assis dans la chaise longue, une fausse lecture ouverte sur les genoux, il se sent comme un enfant en pénitence, qui n'a pas accès à la fête. Le sentiment d'être exclu, de ne pas avoir de place dans cette organisation. Et pourtant, c'est sa mère, la fête de sa mère.

Pour la millième fois, David va récupérer Julien qui trottine dangereusement vers les roses. Il le ramène vers le gazon et va chercher Jaune qui, futée, sait bien qu'elle peut dormir en paix dans les roses. Julien trépigne de rage puis de joie en voyant Jaune le rejoindre. David, son expédition menée à bien, se rassoit en soupirant. Il laverait bien la voiture, mais il sait que Catherine le trouverait complètement idiot. Il ne peut quand même pas retourner à la cuisine leur offrir une aide qu'ils ne souhaitent pas! Il s'ennuie. Même son fils gazouille tranquillement, heureux, parfaitement indépendant. Il recommence doucement à se déshabiller en se tenant un long discours inintelligible. David le regarde tirer sur son t-shirt, Jaune en profite pour s'écarter un peu et s'assoupir à l'ombre.

Julien, le chapeau de travers, suce consciencieusement un bas encore à moitié accroché à son pied. Il est tellement beau, tellement touchant, son fils qui n'a pas besoin de lui.

David se souvient de l'appareil-photo dans le corridor de l'entrée et décide de faire quelques photos de son fils. Après s'être assuré que Julien est à l'abri des centaines de malheurs par imprudence qui le guettent, il passe sous la tonnelle et entre par la grande véranda pour chercher l'appareil.

Le rire sonore, incroyablement gai de Catherine l'arrête dès son entrée dans la maison.

Il est si fort, si clair, qu'on les dirait dans la salle à manger plutôt qu'à la cuisine au fond de la maison. Il entend Catherine crier dans son rire: «Mais aidez-moi donc au lieu de rire comme ça!»

Son père semble étouffé de rire. Catherine a un petit cri, puis elle dit, plus fort: «Simon!»

David, se faisant presque accroire qu'il va aider Catherine puisque son père semble inutile, s'approche doucement par la salle à manger. Il fait basculer légèrement la porte battante et regarde par l'interstice. Ce n'est qu'en regardant qu'il se rend compte qu'il espionne, qu'il épie, le cœur battant, anxieux. Tapi dans l'ombre fraîche de la salle à manger, il voit Catherine, en plein soleil, une abaisse de pâte à tarte repliée sur l'avant-bras, un couteau dans l'autre main et penchée au-dessus de la table à essayer d'atteindre du bout du couteau l'assiette de beurre qui est hors de portée. En se relevant, elle voit son short complètement barbouillé de farine. Simon, écrasé de rire près du comptoir, se sèche les yeux et essaie, bien en retard, d'être utile: «Attendez, attendez, j'arrive là, j'arrête!»

— C'est bien le temps! pouffe Catherine, regardez-moi!

Mais pourquoi son père vouvoie-t-il sa femme? C'est la première fois que David remarque comme ce vouvoiement semble les rapprocher, leur donner une intimité que le tutoiement n'aurait pas. David est mal à l'aise, ne comprend pas sa position idiote de mari méfiant. Il veut partir. Il va le faire.

Mais son père enlève le grand tablier qu'il portait, s'approche de Catherine, passe derrière elle et le silence soudain dans la cuisine est impeccable. Catherine, son abaisse de tarte sur l'avant-bras droit, son couteau dans la main gauche, reste immobile, bras en l'air. Simon passe la ganse du tablier au-dessus de sa tête, il ceint le tablier autour de la taille de Catherine, doucement, sans presque la toucher, mais il est si près, si près d'elle et ce silence...

Et puis, le tablier attaché, Simon reste là et Catherine baisse les bras, les laisse retomber sans hâte sur la table, comme s'ils avaient eu besoin de soupirer. Comme si l'abaisse les avait entraînés vers le bas pour s'étendre mollement dans la farine.

David voit les yeux de Catherine se fermer, sa bouche s'entrouvrir et il reconnaît le désir sur son visage fermé. Elle penche la tête vers la table, comme accablée. Sa nuque où les cheveux frisent à cause de la chaleur, il le sait sans le voir, sa nuque est alors offerte à son père qui, lui aussi, presque mû par une respiration s'incline vers l'avant.

Un oiseau, un seul, chante à en perdre la tête, dehors. Très loin.

Maintenant, c'est David qui ferme les yeux. La porte, en se relâchant, lui bat presque au nez. Il s'enfuit, déguerpit. Il ramasse même l'appareil en sortant, il passe sous la tonnelle à toute vitesse, ne sachant même plus où il est, ce qu'il fait, ce qu'il pense. Il brandit l'appareil en courant comme pour montrer à Julien qu'il l'a eu, qu'il le tient. Il se place devant Julien et, en tremblant, essaie d'ajuster l'appareil, la focale. Il tremble tellement qu'il n'arrive pas à voir son fils à travers la lentille. Puis, désespéré, il abaisse l'appareil et se rend compte que ce sont ses propres larmes qui l'empêchaient de voir son fils et de prendre la photo.

Le vacarme en lui est tellement infernal qu'il est certain d'avoir crié, hurlé. Catherine sort sur la terrasse et il se sent, même à cette distance où elle ne peut voir ses larmes, pris en faute. Elle met sa main en visière, le tablier trop long lui fait une sorte de jupe. Elle est blanche et brune dans le soleil. Elle crie: «Ça va? Est-ce que Julien a faim?»

David fait non de la tête, piteux, puis traversé par l'idée qu'elle peut savoir, se douter, il saisit Julien, le met sur ses épaules et se met en devoir de le faire galoper sur le terrain. Il galope comme un fou, malgré la chaleur, malgré son cœur qui veut se rompre, malgré les cris de Julien qui, effrayé, n'en demandait pas tant.

Il file, traverse tout le jardin et s'enfonce sous les arbres pour gagner le bois, sans même se retourner pour juger de l'effet de son numéro.

10

Au fond, qu'est-ce qu'il a vu? Quels sont les faits? Il faut être objectif, voilà ce que se répète sans arrêt David. Il n'a rien vu de si compromettant, de si terrible. Rien qui pourrait les faire rougir. Enfin, s'il s'était passé quelque chose, Catherine ne serait pas sortie si vite, avec cette inquiétude pour Julien. Si elle était troublée, si son père l'avait embrassée (David frissonne, il a froid soudain), si c'était le cas, alors elle ne serait pas sortie sur la terrasse. C'est évident. Un baiser prend plus de temps que celui de sa course pour sortir de la maison, la contourner et arriver devant Julien.

Non. Il ne s'est rien passé d'aussi effrayant qu'il imagine, il en est sûr. C'est sa peur, sa terrible peur d'être abandonné par Catherine qui le fait inventer n'importe quoi. C'est parce qu'il a trop refoulé son désir, sa sexualité, qu'il en voit partout.

Son père a ri avec sa femme et il lui a mis son tablier. Ce n'est pas sorcier, ce n'est pas la fin du monde. C'est même normal dans une cuisine. S'il ne s'était pas mêlé d'espionner, de fouiner, s'il s'était présenté franchement dans la cuisine, son père aurait fait le même geste.

Et Catherine aurait-elle fermé les yeux et penché la tête? Aurait-elle eu ce visage si particulier, lié au désir, qu'il ne lui a vu que rarement?

Peut-être que Catherine aussi en avait assez de refouler sa sexualité... peut-être que s'il avait eu plus de courage, il n'y aurait aucune tentation pour personne. Peut-être que Catherine en sentant son père derrière elle avait pour une fois et depuis longtemps senti ce qu'était un homme? Un homme qu'il n'était pas. Qu'il n'osait jamais être. Qu'il n'imposait jamais, attendant une permission qui ne viendrait jamais. Qui pouvait l'autoriser à être un homme?

David marche dans l'ombre épaisse, écartant les branches pour éviter de blesser Julien. Il entend la rivière. Déjà? A-t-il tant marché? Il a froid. Il a trop couru tout à l'heure, s'est couvert de sueur et, maintenant, il a froid.

Il se sent malheureux, incapable de faire la part des choses. Que Catherine soit troublée par son père est normal: tout le monde le trouve troublant et merveilleux. Même lui, David, éprouve son charme. À la limite, il comprendrait bien qu'on lui préfère son père, il est tellement plus et mieux que lui.

Mais David sait que ce n'est pas de cela qu'il est troublé. Même si lui n'ose jamais prendre la femme qu'il désire, il sait au fond de lui-même que jamais,

jamais, même dévoré de désir, jamais son père ne toucherait à Catherine.

Et Catherine? David sait avec autant de certitude que s'il ne parvient pas à toucher sa femme, à lui faire l'amour, elle va le quitter. Pour un autre ou pour rien. Mais elle va partir. Elle est déjà tellement absente, si souvent absente. Que Catherine ferme les yeux quand son père s'approche d'elle ne signifie peut-être que son extrême lassitude d'être la femme inutile d'un veule. «D'un pas-de-couille», pense tristement David.

Ayant ainsi blanchi les deux amours de sa vie et pris des résolutions fermes quant à ce qui lui reste à faire, David fait demi-tour et revient, le cœur presque léger, fouetté par son désir de réparation, vers la maison.

11

Elle le regarde s'éloigner avec son fils sur les épaules et elle leur envie leur insouciance à tous les deux. Et puis elle se dit qu'elle n'a rien à envier à personne. Chacun ses problèmes, chacun sa joie de vivre ou sa difficulté de vivre.

Va-t-elle retourner à la cuisine? Elle s'est enfuie lâchement, comme toujours au lieu d'oser un geste qui clame enfin ce qui couve depuis des années. Vont-ils se contenter toute leur vie de cette approximative déclaration, de ce désir excité puis étouffé, enfermé, clos et tu comme une maladie honteuse? Mais où est la honte? Dans ce semblant, cette imposture à laquelle elle participe comme tout le monde. Pas dans le désir réel, tangible, cru et épeurant qu'il y a entre eux deux. Non, la honte est là, mise à nue, palpable dans ce couple archi-faux, archi-souffrant qu'elle forme avec David.

Et même là, même au cœur de ses aveux rageurs, elle sait qu'elle ment, que rien n'est si simple, rien n'est si limpide, peu s'en faut. Et que Simon, même attiré par elle, même disons... excité par sa présence, Simon est loin de profiter de ce désir, loin de l'accepter même s'il vacille quand il en est trop plein.

Comme tout à l'heure. Et si son souffle ne l'avait pas touchée, atteinte avant sa bouche, peut-être aurait-elle su alors ce qu'était une caresse de Simon. Mais son respir contre son cou moite, cette proximité l'avait terrorisée. Catherine ne savait pas jouer avec le désir, enfin, pas à ce point-là. Depuis trop longtemps, elle refusait de jongler avec le père dans le fils pour se permettre de laisser Simon la toucher sans aller jusqu'au bout. Et ces petits vertiges qu'ils s'offraient de plus en plus souvent la rendaient folle et presque malade de désir. Elle ne voulait plus toucher à cette drogue. Elle voulait qu'il la prenne ou qu'il la laisse tranquille.

Elle ne voulait plus revenir dans cette maison, dans cette famille parfaite où son désir devenait une incorrection mondaine. Elle en avait assez de ces jeux, ces regards, ces doutes, ce dégoût d'elle-même qui la prenait à chaque fois qu'elle restait dans cette famille. Et la honte et l'amour s'affrontaient en elle, bataillaient, se cognaient l'une à l'autre dans un bruit de vagues déchaînées. Cette Charlotte qu'elle venait célébrer et qui l'horripilait avec sa franche amitié pleine de faux égards. Et cette suspicion et ce jugement indulgent qu'il y avait toujours au fond de ses yeux. Ses yeux adorateurs pour David. Et Julien qui était comme un otage entre eux deux. Julien son fils, la consécration de son faux couple en vraie famille. Cette trinité qui ne témoignait en fait que de sa folle course vers la négation de l'inébranlable vérité qu'elle refusait d'admettre.

— Catherine...

Elle se retourne: le soleil dans le moustiquaire l'empêche de voir Simon. Par contre, lui la voit parfaitement bien: pétrie de remords, désolée, isolée avec son déchirement à elle, qu'elle garde pour elle sauvagement, farouchement. Cette dignité dans l'indignité ou ce que Charlotte appellerait ainsi, est probablement un des principaux attraits de cette femme sur lui. Cette ténacité et ce courage inaltérés... «Il faut mettre fin à cela», pense Simon. Et il dit pourtant quelque chose de très éloigné de ce but, une phrase qu'il ne comprend pas lui-même.

— Vous savez, madame Carrigan, la mère du bébé, quelquefois elle vous ressemblait.

Et dans ce temps-là, c'était quasi impossible de faire la part des choses. D'ailleurs, il n'avait pas toujours réussi à la faire puisqu'il s'était trouvé profondément impliqué émotivement dans ce cas. Alors que sa position devait être exempte d'émotion personnelle, lui avait été absolument bouleversé. Et cela parce qu'Elsa Carrigan avait cette passion déterminée à défendre la vie de son bébé perdu. La passion et le courage de Catherine.

— Est-ce qu'elle me ressemblait la dernière fois que vous l'avez vue?

Les yeux d'Elsa Carrigan quand on lui avait retiré des bras le cadavre de son bébé mort de faim au terme de deux mois d'agonie. Les yeux brûlants de haine, muets d'horreur. Des yeux qui n'appelaient plus rien, même pas la vengeance, qui ne condamnaient plus personne, même pas lui, mais des yeux haineux, infiniment fermés à l'amour, la pitié ou l'affliction. Des yeux secs pour toujours.

— Non, pas la dernière fois. Avant... avant que le bébé meure.

Catherine met sa main doucement sur le moustiquaire, là où est le visage de Simon. Encore une fois, elle sent son souffle siffler à travers le mince grillage.

— Je ne vous vois pas, vous savez.

Conversation stupide, impossible, conversation d'aveugles, se dit Catherine.

— Êtes-vous fatiguée, Catherine?

Cette façon de dire son nom... comme une incantation, une mélodie. Son nom est tellement beau quand lui le dit. Elle a un sanglot, elle ne sait pas pourquoi. Sa douceur peut-être, cette impossible douceur qu'il manifeste pour elle. Elle fait non de la tête, trop émue pour parler, trop bêtement triste tout à coup.

Ils sont là, muets de part et d'autre du moustiquaire, cloîtrés par le désir, elle en pleine détresse, en plein soleil et lui à l'ombre, à regarder cette femme qu'il aime sans pouvoir oser un geste et terrifié à l'idée qu'un jour elle puisse ne plus être dans sa vie.

Il allait ouvrir la porte quand le téléphone a sonné.

— J'y vais.

Il est déjà parti.

Fini le malaise, rêvés le ton, la nuance. C'est

sans doute Charlie qui rapplique au quartier général, pense Catherine en rentrant dans la cuisine. Et elle termine son plat à grands gestes secs.

12

Depuis que le four chauffe et avec le soleil plein sud, la chaleur est étouffante dans la cuisine.

David entre avec Julien alors qu'elle place sa pâte feuilletée au four. Julien crie son plaisir de voir sa mère et gigote pour aller la rejoindre.

Catherine lui sourit: «T'as faim mon Julien? Veux-tu un pique-nique? On devrait aller manger dehors. Il fait trop chaud ici.»

— Papa est allé où?

— Téléphone. Ta mère probablement.

Catherine essuie la table consciencieusement, Julien dans les pattes. Elle lui tend une cuillère qu'il se dépêche de frapper partout pour faire un peu d'ambiance. Catherine reprend son discours.

— Qu'est-ce que tu en penses, David? On pourrait manger à l'ombre en avant sur la véranda. Ou au fond du parc.

David a l'air plongé dans ses pensées. Il ne répond pas. Catherine persiste sur le même ton.

— Ou bien foncer dans le feu ou alors prendre un avion...

— Excuse-moi, je pensais à autre chose. Un pique-nique?

— Oui, un pique-nique avec des sandwichs jambon-fromage. Et du céleri et du jus et une bière si tu me promets de me répondre avant cinq heures!

Bon, elle se fâche! Elle s'irrite toujours des lenteurs de David, de ses délais, de ses distractions et elle se déteste de le faire. Pourvu que Julien ne lui ressemble pas là-dessus! Elle va s'enrager toutes les cinq minutes, devenir une harpie, c'est sûr.

Elle sort le céleri, les carottes, en donne une bien lavée à Julien qui hurlait de faim et se tait du coup. Elle tranche le pain, fait le tour de David qui, immobile, perdu dans ses pensées, encombre la cuisine.

— David! Pousse-toi au moins! Qu'est-ce qu'il y a? T'as des problèmes métaphysiques?

L'arrivée de Simon lui permet de ne pas répondre.

— Tout le monde est là? Bon, qu'est-ce que vous diriez d'un pique-nique à l'ombre?

Il prend Julien dans ses bras, constate l'avance qu'a prise Catherine: «À ce que je vois, je ne suis pas tout seul à avoir des idées! David, une bière? Je peux vous aider, Catherine?»

— Oui, en gardant le petit pigrasseux dans vos bras et en mettant la table à l'ombre dehors.

David a l'air de se réveiller tout à coup: «C'était maman?»

— Oui. Charlotte est arrivée à Montréal, épuisée

et ravie de son séjour. Elle prend l'autobus d'une heure. Elle sera au village à trois heures et demie. David, tu veux une salade? Dans le frigo, en bas.

David sort la laitue, la lave: «Pourquoi elle prend l'autobus? C'est moins long en voiture.»

— Elle dit qu'elle est trop fatiguée pour conduire. Je préfère qu'elle prenne l'autobus dans ce cas-là. Et puis, elle aura moins chaud comme ça. Elle va appeler en arrivant au village. On ira la chercher.

Catherine vérifie le contenu du four: «Pas encore prêt. Il va faire chaud ici tantôt!»

— Tout le monde dehors si on veut être encore en vie ce soir!

Et Simon sort les bras pleins de Julien et de victuailles dans un équilibre plus que précaire. Catherine le suit avec des assiettes débordantes. David, toujours occupé à laver la laitue, reste dans la cuisine. Catherine lui crie en sortant: «Apporte de la bière!»

Elle court vers l'ombre. David la regarde aider son père à mettre la nappe: on dirait qu'elle a vingt ans. Et son père... non, on ne dirait pas un homme de soixante ans. Comme il est très grand, très mince (et comme il a de l'allure, rajoute David en pensée), il a à peine l'air d'en avoir cinquante. Et encore: cinquante en forme. Charlotte, malgré son style, a l'air plus vieille. Et lui, moins grand, plus mou, plus proche en tout de sa mère, lui, il a ses trente-trois ans bien sonnés et bien inutiles.

«David!»

Elle lui hurle quelque chose du fond du jardin.

Il sort sur la terrasse, Dieu, qu'il fait chaud!

— Quoi?

— Les pickles!

Il hausse les épaules: c'est ridicule! Les pickles, maintenant! Il les cherche dans le frigo, ne trouve rien, bien sûr, comme s'il y avait une conspiration pour l'empêcher d'être efficace.

Catherine arrive, essoufflée: «Laisse faire.»

— Ben oui mais j'allais les trouver! T'es bien pressée.

— Non, c'est pour vérifier mon feuilleté, s'il lève.

Et bien sûr qu'il lève, superbement, comme si la pâte respirait sous la chaleur. Depuis quand Catherine rate-t-elle quelque chose?

— Pourquoi tu t'en fais? C'est ta spécialité, tu l'as jamais manquée.

— Pour faire exprès, on sait pas: en l'honneur de Charlie!

— Appelle-la pas comme ça.

— Bon, bon! Viens-tu? J'ai trouvé les pickles, cherche-les pas.

Et elle sort.

Et on dirait qu'elle danse vers l'ombre, petite tache blanche et beige dans l'éclat du vert.

Et il se sent orphelin, sans raison.

Il sort, les mains pleines avec la salade et les saladiers et il oublie la vinaigrette sur la table.

13

Repu, les jambes étirées sur le bord de la table, dangereusement renversé sur sa chaise, Julien calé sur lui, Simon soupire de plaisir: «Ah... qu'on est bien!»

— T'as pas chaud? Veux-tu que j'enlève Julien?

Pourquoi David a-t-il toujours quelque chose de servile dans la voix, se demande Catherine. Pourquoi le trouve-t-elle si irritant, humiliant?

— M'enlever Julien? Jamais! On est bien tous les deux, hein mon gros?

Julien témoigne de son bien-être en fourrant le biscuit humide qu'il est en train de sucer dans la bouche de son grand-père. Simon rit, se dégage pour éviter d'avaler la substance molle et peu appétissante. Catherine rit: «Il est très généreux en ce moment, il partage tout avec tout le monde.»

— C'est rare pour un enfant unique. Tu vas voir quand on va lui faire une petite sœur!

Interdite, Catherine regarde David: peut-il

vraiment être aussi décroché de la réalité? Est-ce que ce n'est pas de la démence, l'illusion entretenue à ce point-là? Vraiment! Elle ne peut s'empêcher de le cingler: «Une petite sœur, David?»

David rougit, bafouille, en bégaye presque: «Ah... c'est, c'est pas un projet ferme... (il se tourne vers son père) ni une annonce!»

Le voir s'enfoncer comme ça dans la maladresse, sentir le mépris monter en elle comme une marée vaseuse, propulse Catherine hors de sa chaise. Il y a des moments où elle pourrait tuer David! Réflexe conditionné: elle se rue littéralement sur Julien: «Viens mon cochon, on va te laver un peu.»

En se penchant sur Simon pour prendre Julien, elle peut voir dans ses yeux la terrible compréhension d'un homme qui partage ses sentiments. Elle s'éloigne en se disant que cette trahison-là, clairement avouée dans les yeux de Simon, est plus impitoyable au fond que celle de l'amour qu'il lui voue. Elle se sent coupable d'éprouver autant de mépris et de colère contre David et de rester malgré tout avec lui.

Et si elle le quittait? Mille fois la question s'était posée. Mille fois éludée. Lâche, se dit Catherine, lâche, pas plus honnête que les autres!

Elle rentre, sachant très bien que quitter David, c'est quitter Simon et elle n'est pas loin de croire qu'elle a épousé l'un pour vivre dans la proximité de l'autre.

14

Enfin, il y est. La voilà donc cette conversation tant rêvée, tant attendue. Il est seul avec son père. Pas dans des conditions idéales, c'est sûr, mais quand le sont-elles, idéales?

David sait bien qu'il a dit une bêtise, quelque chose d'un peu rustre, d'un peu pas mal idiot, mais il l'a dit pour dire quelque chose et, pour lui, cela constitue une excuse. Il s'enfonce même dans sa maladresse en soulignant grassement le départ de Catherine: «Elle est un peu nerveuse ces temps-ci.»

— Vraiment?

Simon n'est rien moins que collaborateur. «Encore un peu et il va me servir le prétexte des menstruations avec périphrase en plus parce qu'il ose pas dire le mot exact», pense-t-il, hors de lui. Il déteste ce genre d'échange «entre hommes» qui ne mène habituellement qu'à des lieux communs aussi lourds que l'ennui qu'ils distillent. Il fait tout de même un effort, son fils ayant l'air d'avoir du plaisir à parler avec lui.

— Julien est magnifique, il est adorable.

— Ah oui... ça, Julien, y a pas de problème.

Un énorme silence s'installe. Simon a une envie folle de courir vers la maison sous n'importe quel prétexte pour échapper à cette conversation avec David qui se racle la gorge, se prépare à aborder un sujet plutôt grave s'il en juge à la déglutition ardue de son fils.

— Papa...

Simon s'enfonce un peu plus dans son fauteuil sachant qu'il ne peut qu'endurer stoïquement. Pourquoi David tient-il tant à lui parler sérieusement? Il ne peut pas l'aider, il le sait bien! Ce rituel de la confidence lui fait horreur.

Et dire que Charlotte, elle, s'en délecterait.

— Y a des gros changements qui se préparent... remarque que ça dépend de moi, de ce que je vais décider de faire, mais il pourrait y avoir du changement dans ma vie. Je voulais t'en parler, avoir ton avis.

— Oui, oui, bien sûr. Je t'écoute.

Il est inquiet, Simon: de quoi parle-t-il? Quels changements? Et il a peur, une peur atroce, incontrôlable. Et s'il lui enlevait Catherine? S'il divorçait? Jamais! Quelqu'un hurle au fond de lui, lui crispe les entrailles, le fait se tendre vers David qui, lui, est ravi d'intéresser enfin son père.

— Tu te souviens, il y a dix ans, quand tu as changé de branche, enfin, pas de branche, mais que t'as décidé de pratiquer autre chose que la chirurgie?

— La bioéthique, oui. Ça s'appelle la bioéthique,

David. Tu veux te lancer là-dedans, c'est ça?

Dieu qu'il est lent! Où a-t-il pu prendre ça, cette lenteur?

— Non, non, c'est pour te situer que je parle de ça. Parce que, vois-tu, on m'offre un nouvel emploi, un poste important chez Durrell, Blanchette et Villeneuve.

Simon se rassoit, soupire, se détend: «Ah oui? Qui c'est?»

— Ben voyons papa! Les architectes qui ont construit la dernière aile de l'hôpital universitaire, je pensais que tu savais ça. La deuxième plus grosse firme à Montréal. C'est une offre inespérée. Ils engagent une fois tous les cinq ans et il y a des centaines de candidats à chaque fois. Ils sont venus me chercher tu sais.

— Tu as dit oui?

— J'y pense...

Étonné, Simon examine son fils. Il y pense... quel drôle d'homme. Il est tout excité, tout ravi, il semble être exceptionnellement compétent puisque cette firme vient le chercher et il doute encore, il suppute, pèse le pour et le contre. On dirait un fermier à qui on demande de céder une parcelle de sa terre!

— Il y a des désavantages?

Maintenant que Catherine est hors de question, Simon participe plus volontiers à la conversation. Enfin, de façon plus détendue du moins...

— Pas vraiment non. Pour le salaire, ce serait même plutôt mieux. Y a les vacances qu'il va falloir négocier, mais ça devrait être facile. Très bonnes conditions de travail, des contrats intéressants, une équipe dynamique...

On dirait une publicité pour l'agence, pense Simon, décontenancé par le manque de profondeur de leur échange. Mais, se sachant en partie responsable de cette superficialité, il persiste pour faire plaisir à David.

— Ta mère va être heureuse de savoir ça.

— Toi?

— Pardon?

— Toi? Qu'est-ce que ça te fait? Ça te fait plaisir?

— Bien sûr... si ça te rend heureux, ça me fait plaisir, voyons.

— Non, je veux dire... je veux savoir... si j'accepte, trouves-tu que c'est une bonne idée? Vas-tu être fier de moi?

David le regarde vraiment comme lorsqu'il avait appris à plonger quand il avait sept ans. Il avait peur de l'eau et Simon avait décidé de lui payer des cours de natation. Puis, l'été suivant, David avait insisté pour que son père constate ses progrès et lui avait fait une démonstration de ses exploits. Simon avait regardé son fils barboter, mettre sa tête sous l'eau, nager et plonger pendant une heure.

Après le dernier plongeon, David était sorti de l'eau tout tremblotant, les bras serrés sur ses côtes apparentes, le maillot trop grand qui tirait misérablement vers le bas et les lèvres toutes bleues tellement il avait froid. Il se tenait debout, gelé, frissonnant, à regarder son père avec, dans les yeux, une telle attente, une telle espérance que Simon avait douté de ne jamais pouvoir rassurer cet enfant sur ce qu'il était. Simon ne comprenait pas encore maintenant ce que son fils attendait de lui avec tant d'inquiétude et de persistance. Quel acquiescement, quelle légitimité désirait-il? Serait-il toute sa vie un enfant qui attend d'être applaudi, félicité pour son bel effort? Qu'est-ce qu'il fallait faire pour lui permettre d'être un grand garçon raisonnable qui enverrait l'opinion de son père là où elle devrait être: au deuxième, sinon au troisième plan?

— David... je *suis* content et fier de toi, même sans ça. La seule chose qui m'inquiète pour toi, c'est que tu fasses ce qui te plaît vraiment, sans égard pour mon avis, mon opinion ou même mes désirs.

David a un petit rire de malaise: «Ça te tente que je me fiche de toi?»

— D'une certaine manière, oui... J'ai aimé que tu deviennes architecte parce que j'ai craint un moment donné que tu choisisses la médecine juste parce que ton père et ta mère étaient médecins. Je ne crois pas à la filiation des métiers.

— Mais j'y ai pensé, tu sais... j'y ai pensé longtemps. Mais je savais que ça ne te ferait pas particulièrement plaisir.

— Mais si tu en avais eu envie, tu l'aurais fait, ta médecine?

— Bien sûr!

Trop vite, trop rapide cette réponse. Simon doute encore mais n'a pas tellement envie d'explorer le terrain miné de ses relations avec David. Il a toujours eu un malaise à comprendre cette admiration pesante de son fils pour lui, admiration qui entraînait, aurait-on dit, une secrète obligation de sa part, obligation de reconnaissance et de prise en charge morale. Ça y est! Simon met le doigt dessus: David lui rappelle une femme qui l'a aimé il y a très longtemps et qui ne souhaitait, en fait, qu'être son adoratrice, lui consacrer sa vie en quelque sorte. Cette femme attendait tout de lui puisqu'elle lui consacrait tout son être. Elle l'avait supplié de l'épouser, lui avait promis tout ce que Simon détestait: une aliénation intégrale et consentie jusqu'à la moelle. Simon avait gardé du mépris pour ces êtres qui, parce qu'ils éprouvaient une sorte d'amour, en profitaient pour se départir de toute responsabilité personnelle envers leur propre vie. L'amour n'en demandait pas tant et il devenait alors très pratique de mettre sur le compte de la passion une impuissance latente à vivre. Et tout cela sous couvert de vivre plus intensément! La passion amoureuse étant bien sûr l'objectif unique de la vie de certains êtres. Simon avait des doutes...

Manquait-il d'indulgence? Il ne savait pas, mais il savait très bien que l'attitude d'attente anxieuse de son fils le rendait malade. Pourquoi n'avait-il pas eu de crise d'adolescence, comme tout le monde? Pourquoi son fils ne l'avait-il jamais envoyé chier? Que voulait-il que Simon n'avait pas donné? Quel tampon manquait-il à son passeport pour aller vivre librement, comme il l'entendait?

— Écoute David, ça me semble un projet intéressant, excitant même... on va fêter ça ce soir. Ta mère va trouver que c'est un très beau cadeau de fête.

Elle va même savoir qui sont ces architectes, se

dit Simon. Charlotte, du jour où David avait décidé de devenir architecte, s'était mise à acheter des revues d'architecture et à lire avidement sur le sujet. Charlotte semblait bien avoir reporté sur son fils une dévotion amoureuse impossible à pratiquer sur le père. Simon s'en trouvait fort bien. Mais était-ce là le genre d'appui que cherchait David chez lui?

—Je préférerais qu'on n'en parle pas encore. C'est pas décidé...

— Mais ça semble presque fait, non? Tu veux pouvoir annoncer aussi quelles sortes de vacances tu t'es négociées?

— Non, non, euh... c'est parce que Catherine est pas encore au courant...

— Ah non?

Quel fils étrange... avoir une femme de cette trempe et ne pas lui parler. Choisir de le consulter, lui, son père, au lieu de discuter avec celle qui vit avec lui. Simon doutait de plus en plus de la solidité de ce couple. Et son malaise s'amplifiait.

— Ben non, j'avais envie de t'en parler avant, voir ce que tu en pensais.

Vraiment, David l'enrage! Et si Catherine était d'accord et lui pas, que ferait-il, cet imbécile sans opinion? Saurait-il, lui, ce qu'il pense pour départager ses deux éminences? Et sa mère était-elle la troisième éminence? Et bientôt, quand il pourra dire autre chose que «badabada», Julien? Quand aura-t-il, lui, le premier mot sur sa vie? Pourquoi, mais pourquoi désirer que tout le monde soit d'accord?

— Mais je vais en parler à Catherine, bien sûr...

— Ah oui?

Insensible au sarcasme, David continue péniblement: «C'est parce que je voulais vraiment que tu sois le premier à le savoir.»

Une sorte d'exclusivité dont je me serais bien passé, se dit Simon. Pourquoi cela devrait-il être un compliment, une sorte d'offrande? Était-il totalement insensible? Pourtant non, il le savait bien, mais cette sorte d'indigence déguisée l'irritait au plus haut point. Ce serait le genre d'égard que sa mère apprécierait beaucoup. Charlotte avait quelquefois des comportements de mère protectrice incapable de se séparer de son rejeton. Elle, elle n'aurait pas refusé d'avoir un autre enfant! Elle... quelle drôle de façon il avait quelquefois de penser à Charlotte. Une sorte de détachement, une sorte d'agacement... un peu comme avec son fils, d'ailleurs. L'arrivée de Catherine dans cette famille avait bousculé pas mal de pièces sur l'échiquier et les anciens cavaliers, rois et reines se trouvaient soudain bien ébranlés, bien près d'être rétrogradés en simples pions.

Simon se lève, fatigué de cette conversation qui le met intérieurement à bout, fatigué de discuter, faire semblant.

— Bon alors je te félicite et je ne dis rien à ta mère avant que tu ne le fasses.

— J'aimerais ça te parler d'autre chose...

Excédé, Simon ramasse les assiettes, fait un tas des détritus, empile les ustensiles avec précision: «Vas-y.»

— C'est à propos de Catherine, justement...

Les gestes de Simon ralentissent.

— Je me demandais si toi... je veux dire... si...

Simon ne bouge plus, il attend, figé.

— Si, avec maman, des fois, pour une certaine période, tu as, vous avez... ben!... Si vous avez eu des périodes moins faciles?

— Moins faciles?

Le ton est glacé.

— Ben oui... euh... des périodes d'arrêt, de, d'absence de relations sexuelles, je veux dire.

— Non.

Le mot a claqué en même temps que l'assiette. Sèchement, brutalement. S'il y a une chose dont il ne veut pas entendre parler, c'est bien des performances sexuelles de son fils avec Catherine! Il est prêt à «échanger» sur bien des sujets, mais pas celui-là. Il faut vraiment être d'une certaine épaisseur d'esprit pour ne pas sentir ça.

— Ah?... Ah bon. Ça doit dépendre des couples.

— C'est ça.

— Des ententes... Elle est pas facile, Catherine, tu sais. Elle est comique comme ça, ici, en famille, mais c'est vrai qu'elle est nerveuse. Pas toujours tolérante.

Pourquoi son fils le force-t-il à le détester? Pourquoi fait-il les seules choses que, vraiment, il ne peut excuser? Cette façon de vouloir faire pitié, d'être compris au détriment de quelqu'un, sur son dos, l'horripile.

— Écoute David, tu parleras de ça à ta mère, veux-tu?

— Ah, je veux rien dire contre elle. C'est peut-être moi... Je ne suis pas un don Juan. Pas facile de savoir ce que les femmes veulent, non?

— C'est pas *les* femmes, c'est *ta* femme! C'est Catherine, imbécile!

Et il part, furieux d'avoir dit ça, furieux d'avoir été piégé dans cette conversation, furieux de savoir que leur maudit couple ne fonctionne pas, qu'il y est, lui, pour quelque chose et que son fils ne se doute de rien, ne veut pas douter de lui et refusera d'en douter jusqu'à la preuve finale et ultime! Furieux de ce fils qui n'est pas foutu d'ouvrir les yeux de temps en temps et furieux d'être aussi idiot lui-même.

Il range brutalement la cuisine pour donner libre cours à son exaspération. Il fout les détritus à côté de la poubelle et s'arrête à temps, juste avant de poser les verres sur la magnifique pâte feuilletée qui refroidit sur le comptoir. Dorée, parfaite, craquante, elle repose sur la claie et attend la suite.

Il ne voulait pas savoir l'ampleur du malheur conjugal de Catherine. Sa solitude sexuelle, sa détresse peut-être... et il ne veut pas savoir que son fils couche avec cette femme dorée, à la peau douce, odorante, et qu'il ne la touche pas, ne la caresse pas, ne la pénètre pas. Il ne veut même pas savoir ce que ça fait à son fils. Il est un traître, un escroc, un tartuffe qui se tartuffie lui-même. Il se tuerait!

Mais avant, il ferait l'amour à cette femme chaude et douce et violente. Il lui ferait l'amour jusqu'à en perdre la notion de son identité, jusqu'à se perdre et à couler corps et biens au fond de sa chair dorée et pleine, jusqu'à la déliquescence de son être.

Inconsciemment, du bout des doigts, il caresse la pâte et une bulle craquelle sous l'impact. Il ramasse les miettes légères et les porte à sa bouche.

Il ne sait pas pourquoi il revoit les épaules de Catherine et son dos qui se soulève.

Il est sûr que sa peau est délicatement sucrée.

15

Pourquoi n'est-elle pas allée à la salle de bains d'en bas? Pourquoi avoir choisi de monter au premier pour débarbouiller Julien? Pourquoi ce non-sens, cet illogisme? Parce qu'elle a quitté David si choquée, si enragée? Pour souffrir, aurait répondu Catherine, parce que j'aime ça, enfoncer le clou. Parce que je suis maniaque!

La salle de bains attenante à la grande chambre blanche, la chambre des maîtres, celle de Simon et Charlotte en l'occurrence. À chaque fois qu'elle passait devant, c'était plus fort qu'elle, il fallait qu'elle ouvre la porte et regarde.

Cette chambre appelait la profanation. Trop grande, trop vaste, trop blanche. Et ce lit immense, comme une invitation à la débauche, au stupre. Quel usage elle rêvait d'en faire! En finir une fois pour toutes, consommer l'intouchable, l'innommable, aller au bout de l'impossible. Dans ce lit! Dans cette maison! Et qu'elle s'écroule de dépit et qu'elle s'éclate de honte et qu'un cri résonne enfin dans ces murs trop parfaits, trop engoncés dans leur respectable paralysie sociale!

Elle les haïssait avec leur inconscience, leur bonne conscience à l'abri des conflits, des disputes, des haussements de voix même. Une vie consacrée à la maîtrise de soi, aux bonnes manières et peu importe que ça rende fou furieux! Elle soupçonne même David de pouvoir traverser vingt ans de mariage continent, sans même l'embrasser. Mais d'où sortent-ils ces gens en fer forgé capables de maîtriser le désir furieux, de tenir tête au désespoir, de contrôler haine et amour?

Je ne suis pas de cette race, pense Catherine. Les fenêtres sont ouvertes, aucune brise n'agite les rideaux blancs. Pourquoi des rideaux dans une maison où personne ne peut voir à travers les vitres? Pour préserver une intimité prude? Elle ne veut pas croire que Charlotte fait encore l'amour avec lui. Elle est trop vieille, trop réservée, trop correcte pour ça! Elle est trop terne, trop noble pour ça. Catherine refuse de penser à cet aspect de la question.

Elle est jalouse, bassement, sordidement jalouse. Jalouse et haineuse. Qu'est-ce que ça changerait que Charlotte soit ou non une bonne partenaire? La seule question est: osera-t-elle, elle Catherine, tenter un geste définitif? Peu importe Charlotte. Peu importe David même, elle le sait bien.

Peu importe tout.

Pars, sauve-toi. Maintenant. La journée est jeune, rien d'irréparable n'est fait. Ton bébé dans tes bras, pars! Vite.

Elle s'approche de la fenêtre: le jardin est magnifique vu d'en haut, une luxuriance de roses. Simon et David sont toujours à table, en train de discuter calmement. Catherine se dit qu'ils pourraient demeurer comme ça une éternité. Ces deux hommes ne se ressemblent pas. Trop grand, Simon dépasse David en tout. Depuis quand aime-t-elle Simon? Depuis le début, depuis avant David. David a bénéficié d'un effet de reflet... bénéficié est un bien grand mot, pense-t-elle, si on considère qu'elle va le quitter.

Jamais comme maintenant dans cette chambre paisible, à l'abri de tout, avec Julien qui placote dans son cou, jamais elle n'a vu aussi clair dans sa vie.

Elle va partir. Demain, à l'aube. Elle va quitter Simon et David. Elle va partir avec Julien et recommencer ailleurs. Elle ne dira rien à personne, ne s'accusera et n'accusera plus personne. Finis les déchirements, les conflits intérieurs, les désirs impossibles, les élans avortés, finie la guerre sourde, fini l'arrachement.

Elle n'en peut plus. Elle a assez lutté. Assez aimé. Assez haï. Ça suffit. Elle va enterrer ses secrets, comme ils lui ont appris à le faire, comme un bon chien bien élevé enterre ses excréments et elle ne reviendra plus. Même s'ils la sifflent. Elle va se taire et s'en aller. S'exiler. Et elle est certaine de trouver là son salut. Aimer n'est pas, ne peut pas être, le seul objectif d'une vie. Elle est bien prête à croire que ce n'est qu'une sorte de vanité déguisée.

Elle ne tient pas à l'amour si c'est cette mort constante, cet affolement de tout son être, cette avidité désespérée pour une peau, une odeur, un regard et des mains, ses mains.

Ce besoin inaltérable de lui.

Maintenant qu'elle sait qu'elle va partir, le pire, c'est d'imaginer la vie sans sa voix. Sa voix chaude, grave, sa voix qui, bien avant tout le reste, l'a troublée.

Ne plus jamais entendre sa voix. David a quelquefois sa voix. Rarement. En fait, David a sa voix quand, la nuit, il se réveille et a envie de faire l'amour. Au début, dans le noir, le mirage tenait, elle consentait à la voix et non à l'homme.

Puis, il y a eu ce premier enfant. Cet avortement solitaire. Ce désir de pureté, d'irréprochable honnêteté, d'intransigeance qu'elle avait. Ce refus de tricherie, cet enfant qui ne serait pas de lui.

Encore un petit secret enterré. Encore un petit mensonge poli. Depuis trois ans, elle n'avait cessé de faire l'apprentissage du faux, du vulgaire, sous couvert de générosité, d'altruisme. Et cesser d'être la femme d'un homme parce qu'on désire son père n'est ni de l'honnêteté, ni de la franchise, c'est de la cruauté. Et elle le sait. Et se détester n'arrange rien.

Julien, rescapé de cet énorme échec, seule véritable réussite de toute l'entreprise, Julien était le résultat de sa lâcheté. Elle ne pouvait tout simplement pas affronter un autre avortement. Qu'aurait-il dit lui, le spécialiste de l'éthique médicale, de cet avortement?

Elle sourit... a-t-elle gardé Julien pour faire pression sur Simon, le forcer à voir, personnifier l'union qu'elle avait avec son fils? Jusqu'où cela allait-il? Jusqu'à quelles racines pourries pourrait-elle fouiller leurs agissements? Leur négation entêtée de ce qui, depuis trois ans, crevait les yeux?

Il fallait s'enfuir avant que Julien ne souffre. Cet enfant avait déjà à supporter tout l'amour inutilisé de ses parents qui déviait vers lui, lui était départi par manque de cible consentante. Il fallait partir avant que des questions plus brûlantes ne se posent, avant d'aller trop loin dans l'avilissement, la dégénérescence de son estime personnelle.

Julien ne bougeait plus et se faisait plus lourd dans ses bras. Sa respiration s'approfondissait. Il s'était endormi, barbouillé, collant, la couche même pas changée. Son petit garçon, son petit garçon lourd dans ses bras, pesant de ses dix-huit mois, tout chaud et qui sentait le sucre et le soleil. Sa petite merveille gigotante. Ses cheveux sur la nuque bouclaient comme les siens sous l'effet de la chaleur. Il ne portait encore qu'un seul bas. Combien avait-il perdu de bas, de chandails, cet effréné de la mise à nu? Elle déposa son fils doucement sur le lit blanc. Sur la pointe des pieds, elle alla dans la salle de bains attenante à la chambre pour chercher une débarbouillette.

C'est d'abord l'odeur qui arrêta son geste. Une odeur lourde et capiteuse, une odeur poivrée, forte.

Dans le bain rempli d'eau, une munificence de roses, dans toutes les tonalités du pourpre au blanc laiteux. Des douzaines de roses aux longues tiges reposaient au frais. Deux énormes vases attendaient sur le tapis de bain que quelqu'un arrange les bouquets.

Catherine reçut cet hommage, cette déclaration d'amour à Charlotte comme une gifle.

Comme si toutes les roses s'étaient dressées d'un coup pour lui lacérer le visage de leurs épines.

16

C'est Julien qui l'arrache à sa sinistre contemplation. Julien qui pleurniche, veut sa Didou. Elle revient dans la chambre, le prend dans ses bras, le serrant plus fort que nécessaire et descend les marches à toute vitesse. Elle sort par devant, ne souhaitant surtout pas savoir qui remue dans la cuisine. Elle court à l'auto: pas de Didou!

Ah oui: David l'a sans doute montée dans la chambre de Julien. Elle rentre, remonte, laisse claquer la porte, cherche partout: pas de Didou. Julien, bousculé, brassé, n'aime pas beaucoup l'allure de la promenade et commence à protester.

Catherine redescend, les dents serrées, le souffle court. Elle passe sous la tonnelle. Là, dans le parc de Julien placé à l'ombre par David, la Didou trône. Elle couche son fils, qui n'est plus content du tout, lui frotte la Didou sous le nez et s'enfuit dans le sous-bois en faisant semblant de ne pas avoir vu David se lever là-bas, au fond du parc et venir vers elle.

Elle se fout de David. Elle veut la paix! Une parcelle, un minuscule espace de paix. Elle veut souffrir tranquille. Pour une fois. Puisque la vérité tient absolument à se faire voir aujourd'hui, elle tient à être seule pour l'affronter, se battre avec.

Elle avance très vite, malgré la chaleur étouffante, propulsée par son dépit, par sa rage.

Les roses, les sacro-saintes, les intouchables roses de Simon cueillies, coupées, au frais, somptueuses... pour elle! Pour ses soixante-cinq ans. L'anniversaire de la retraite. Cette vieille femme à la peau molle, fripée, cette Charlotte qu'elle déteste va recevoir l'hommage de son mari. Et Simon qui, comme un chien flagorneur, mange à deux écuelles. Simon le lâche, le méprisable, qui entretient ses deux feux et qui ne se donne même pas la peine de sortir de la famille pour les trouver. Il aurait pu lui donner un parfum, un bijou, quelque chose d'anodin, de prévisible!

Mais non. Il l'aime, c'est clair. Il l'aime et la veut, il veut qu'elle le sache, s'en persuade. Il l'aime sa chère femme, sa pareille, celle qui n'est pas n'importe qui, celle qui a fait une carrière de médecin alors que ce n'était pas encore la mode, qui est indépendante, réclamée partout dans le monde pour témoigner de son savoir. Charlotte la très intelligente, très belle, très tout! La parfaite Charlotte.

Eh bien qu'il la baise, qu'il s'en repaisse, qu'il fasse son quart d'heure d'adoration quotidienne, elle s'en fout, elle s'en va, elle sait à quoi s'en tenir. Elle aurait dû se douter que, dans une famille où le mensonge est une politesse, elle serait flouée. Il faut se méfier des gens bien, des familles parfaites, harmonieuses où le conflit est aussi rare et malvenu qu'un tremblement de terre. Il faut se méfier des morts vivants et ne pas s'enterrer quand on n'a pas appris à tenir son souffle sous les monceaux de terre de la respectabilité.

Qu'ils crèvent tous avec leurs lois sauvages, leurs roses distinguées et leurs yeux de menteurs! Elle les déteste tous et se déteste autant.

Elle entend un bruit de feuilles remuées derrière elle, un bruit de course dans les taillis épais. Pourvu que ce soit lui, qu'elle puisse lui cracher ses quatre vérités en pleine face, l'éclabousser de son mépris, de sa rage, lui faire mal un peu si c'est possible de l'atteindre sous ses tonnes de terre!

Non. C'est trop long, c'est trop lent pour être Simon. Juste avant qu'il ne crie timidement, piteusement son nom, elle sait que c'est David et que c'est bien dommage pour lui, mais qu'il va encore payer à la place de son père.

— Catherine!

Sa voix est presque celle d'un enfant plaintif. Il a cette manière énervante de «lyrer» quand il n'est pas sûr de lui. Elle se demande s'il a ce ton geignard au bureau quand il présente un projet dont il doute ou si ce ton lui est exclusivement réservé. Elle est au plus méchant de sa forme, elle le sait. Elle crie sans se retourner: «Va-t'en, David! Je veux être seule.»

— Ça ne sera pas long, Catherine, attends-moi!

Évidemment! Il suffit de dire non pour qu'il insiste. Ce don qu'il a de la contradiction!

— Non! Tantôt. As-tu compris?

— Catherine... attends!

Elle court maintenant, ridicule, rouge de l'effort. Elle se sauve pour éviter de prononcer des paroles impardonnables. Et David, pour une fois, fait preuve de détermination et court après elle. Elle l'entend se battre avec les fougères, les branches sèches.

Pourquoi tient-il tellement à souffrir? Est-ce un plaisir chez lui? Qu'est-ce qu'il a, qu'est-ce qu'il lui faut encore de toute urgence?

— Catherine, attends!

Elle s'arrête sans se retourner. Elle vient d'arriver à la rivière. Bouillonnante, folle, fraîche, déjà la rivière! Elle ne va tout de même pas la traverser pour semer David! Elle l'entend approcher, essoufflé, épuisé.

— Pourquoi tu te sauves?

Elle ne se retourne même pas: «Pour avoir la paix, David. La sainte maudite paix! Peux-tu me laisser tranquille quinze minutes?»

Il devrait comprendre, il le sait, il n'est pas fou, il sent bien qu'elle n'est pas dans son état normal, mais il a fermement décidé de lui parler aujourd'hui. L'occasion ne se représentera pas de la journée, il en est sûr. Et il ne peut pas attendre au soir. Il y a déjà bien assez que son père l'a traité d'imbécile et qu'il est à deux doigts de le croire, il va toujours bien tenter quelque chose pour sa cause! Il ne sera pas dit qu'il n'aura pas essayé. La honte, l'humiliation de sa conversation avec son père, ce n'est que devant Catherine qu'il la ressent et c'est avec elle qu'il a envie de la vaincre. Il se sent soudainement obligé de lui prouver à elle qu'il n'est pas le sous-homme que son père croit. Et puis, il ne sait pas pourquoi, c'est plus simple d'attaquer Catherine que Simon.

— Je veux te parler.

— Ça presse tant que ça?

— Catherine... regarde-moi.

Rien. Elle ne bouge pas, butée, fermée, à fixer les trombes d'eau qui roulent entre les roches. Il la contourne, se place devant elle, prend son courage à deux mains: «Catherine, pourquoi on ne fait plus l'amour?»

Si elle n'était pas si épuisée, si défaite, elle éclaterait de rire. David est vraiment le champion des questions subtiles! Elle savait qu'un jour ou l'autre ils en viendraient à l'inévitable «dialogue», mais là, le jour des roses, le jour de l'anniversaire de Charlotte, alors qu'elle le supplie de la laisser en paix, c'est le bouquet! Elle ne dit rien, glacée.

— Sais-tu combien ça fait de temps que je ne t'ai pas touchée? Deux ans! Exactement deux ans! C'est pas normal, ça! Qu'est-ce qu'il y a? Pourquoi tu ne veux pas? Qu'est-ce que je t'ai fait?

— David, arrête.

Elle s'éloigne, remonte la rivière vers l'anse, l'espèce de petite plage que Simon a aménagée pour des journées comme celle d'aujourd'hui. David continue, bien sûr, mais cette fois, il lui saisit le bras pour la forcer à écouter, à discuter.

— Non Catherine. Ça commence à faire. J'ai des besoins, moi aussi. Y a pas que toi qui existes, t'es pas toute seule dans ce couple-là. Si tu as quelque chose à me reprocher, fais-le. Maintenant.

Elle se dégage et s'éloigne, muette de dégoût. S'il persiste, elle va le frapper!

— Catherine, me prends-tu pour un fou? S'il y a quelqu'un d'autre, dis-le! Je me doute bien que tu as trouvé quelqu'un d'autre. J'aimerais mieux le savoir. Y a moyen de se respecter aussi.

— Est-ce qu'il y a moyen d'avoir la paix?

Cette façon qu'elle a de lui parler le rend fou furieux: «Mais pour qui tu te prends? Pour qui? Il faudrait que j'attende ton heure, ton jour, le moment que tu vas trouver propice à ce genre de discussions? Y en a pas de moment et moi, c'est aujourd'hui que j'en peux plus. J'en peux plus, Catherine, m'entends-tu? Si tu me méprises, dis-le. Si tu fais ça pour me rabaisser, me faire comprendre quelque chose, dis-le franchement.»

Elle se retourne, le regarde. David est violet de colère contenue, de rage, d'impuissance. Il en est pitoyable, comme toujours. Et, comme toujours, cette évidence la remplit de violence.

— David, tiens-toi debout pour une fois. Qu'est-ce que tu cherches? De quoi t'as besoin? De quoi? Que je te confirme que non, ça ne m'intéresse plus de faire l'amour avec toi? Que c'est vrai que je ne supporte pas que tu me touches? Que j'aimerais mieux mourir plutôt que de savoir que je vais encore une seule fois assister à tes pauvres efforts pour devenir un amant acceptable? Qu'est-ce que tu veux savoir, David, que tu ne sais pas? Que ça m'écœure le sexe avec toi, que c'est un cauchemar inimaginable, que ça ne me plaît pas, que ça ne me plaira jamais et que c'est fini pour toujours? Veux-tu que je te dise autre chose David? Ça ne t'intéresse pas plus que moi, tu n'aimes pas ça plus que moi faire l'amour. Mais t'aimes mieux faire celui qui attend patiemment, qui supporte les délais et les caprices de sa femme plutôt que de te poser une seule question sur tes rapports avec le sexe. T'aimes pas ça le sexe, David, ça te dégoûte. C'est trop obscur, trop sourd, trop sombre, trop inquiétant pour toi. Tu plonges là-dedans comme dans l'eau froide, pour donner un coup de cœur, pour te prouver que tu es normal. Mais tu haïs ça, tu haïs ça parce que tu trouves ça sale et que tu réussis à rendre ça sale. Le sexe, pour toi, c'est du péché, du mal vénéneux, de la cochonnerie et plus tu t'approches du plaisir et plus ça te répugne. Rends-toi donc compte que tu es trop bien élevé pour aimer le sexe, trop civilisé et que notre fameuse abstinence fait ton affaire. Tu ne t'es jamais masturbé de ta sainte vie! Tu n'as jamais lu une ligne de littérature érotique, et je ne parle pas de la porno quoique tu en penses, tu ne peux même pas dire «queue» sans rougir et tu t'imagines encore que ma froideur est responsable de notre échec? Ce n'est pas ma froideur, David, c'est beaucoup, beaucoup plus que ça. Ne viens plus jamais me parler de nos désirs, David, parce que je te tue.

— Depuis quand tu penses ça? Depuis quand?

— Depuis que j'ai couché avec toi, c'est-tu assez clair? Depuis que, tout tremblant, tu m'as pénétrée comme un chien cherche son chemin dans le noir. Depuis que le lendemain tu m'as sucé les seins religieusement parce que j'avais parlé du mot caresse et que, scolairement, l'un après l'autre, pendant dix secondes chaque et *sans que ça ne te fasse rien* tu l'aies fait. Depuis que j'ai compris que jamais tu n'aimerais ça parce que, même en le faisant, tu te demandais si c'était pas trop mal, pas trop sale, pas trop cochon. Parce que ça ne s'apprend pas, ça, ça se sait du fond du corps. Mais toi David, t'aimes pas savoir ce que ton corps sent, tu trouves ça trop dégoûtant, trop bas pour être écouté, un corps, trop vulgaire.

— Ma maudite vache! Ma maudite: tout ce temps-là, tu me détestais, tout ce temps-là, tu me méprisais, tu me regardais essayer et tu riais de moi. Avec qui t'as ri de moi? Avec qui?

— Avec personne! Personne! Personne ne m'a touchée, personne ne va me toucher. Je veux la paix, entends-tu? La paix! Je veux plus jamais voir personne me toucher.

— Menteuse! Menteuse, je t'ai vue, je t'ai vue avec lui. Tu ferais n'importe quoi pour lui. Tu tournes autour, tu fais ta sexy, t'est presque en chaleur avec lui! Tu le veux! Dis-le donc que tu le veux! Tu l'auras pas. Jamais! Il est pas pour toi, as-tu compris? Espèce de salope!

Il la secoue si fort, si brutalement qu'elle a peur. Ce n'est pas l'homme qu'elle connaît. De quoi parle-t-il? Qu'est-ce qu'il a vu? Il ne s'est rien passé! Il ne peut pas savoir, c'est impossible. Même elle, elle ne sait pas!

— David! David, arrête! Tu me fais mal.

— Je sais pas baiser, c'est ça? J'ai peur du corps.

Tu penses que ça m'écœure? C'est toi, toi qui m'écœures. Attends un peu, tu vas voir si ça me dégoûte!

D'un coup rageur, il déchire tout le devant de son t-shirt. Il la saisit et la renverse durement contre un arbre. Il prend ses seins dans ses mains, ses petits seins blancs et les serre, les enserre, les tord, rentre ses ongles dans la chair pâle comme si c'était deux fruits qu'il voulait faire éclater. Elle se débat, crie, tente de l'éloigner. Mais David, profondément humilié, est déchaîné.

— Comment tu veux ça? Comment? Comme dans les films pornos que j'ai jamais vus? C'est ça? Tu le veux lui, mais tu ne me veux pas, moi! Attends, ma salope!

Elle saisit sa tête, tente de l'arrêter, essaie de le regarder dans les yeux, mais son regard est fou, comme égaré de rage: «David, ça suffit! J'ai été trop loin, c'est vrai, David arrête! Tu me fais mal!»

— Tu me fais pas mal, toi? Tu me fais pas mal, tu penses? Je peux baiser aussi bien que lui, mieux que lui!

Et il se rue sur elle, donnant des coups de bassin féroces. L'écorce de l'arbre la griffe, rentre dans ses cuisses nues. Il se propulse sur elle avec ses vêtements, sans même chercher à la pénétrer vraiment, comme si la mascarade des gestes suffisait. Elle sent son sexe bandé bouter, cogner contre elle et, à chaque coup de bête qu'il donne, elle s'écrase contre l'arbre et s'y blesse. Ses mains torturent ses seins, son cou.

— Dis-moi que tu veux, Catherine, dis-moi oui.

Elle secoue la tête sauvagement, incapable de parler, incapable de céder ne serait-ce que pour le calmer. Écrasée sous lui qui halète, elle tente encore de s'échapper. Alors, fou de douleur, de désespoir, fou de rejet, David agrippe le visage de Catherine et, d'une seule main, tordant ses joues dans une grimace affreuse, il approche son visage du sien et il mord sa bouche, haineusement, cruellement. Il la mord d'un coup, un seul, au sang, aussi profondément que ses dents peuvent pénétrer, avec un grognement sourd. C'est le goût de fer dans sa bouche, plus que le hurlement étouffé de Catherine qui l'arrête.

Stupéfait, comme au sortir d'un cauchemar terrible, il la fixe sans comprendre, totalement immobile, la main toujours crispée sur son visage, terrorisé par ce qu'il devine avoir fait.

Catherine, sans cesser de le regarder, dégage lentement son visage et porte la main à sa bouche. Sa bouche qui enfle à vue d'œil, dont le sang coule du dehors comme du dedans. Elle hoche la tête sans comprendre, dépassée. Et elle part, d'une traite, elle s'enfuit à toutes jambes.

Pourtant, David ne la poursuit pas. Il demeure appuyé à l'arbre, tétanisé. Puis, il vacille et se laisse tomber au pied de l'arbre, sans force, vaincu, incapable de comprendre quoi que ce soit à ce qui est arrivé.

Et il s'aperçoit que, pendant cette lutte, il a éjaculé.

17

Elle court, elle fuit sans savoir où, dans quelle direction, elle fuit, c'est tout. Elle traverserait la forêt entière pour s'éloigner, mettre de la distance entre elle et la douleur, elle et l'horreur.

L'horreur qu'elle a provoquée, cherchée presque.

Sa bouche lui fait horriblement mal, ses lèvres enflent, elle ne peut plus vraiment les fermer. Le sang coule toujours sur son menton, dans sa gorge. Les broussailles lui lacèrent les jambes, les cuisses, déjà abîmées par l'écorce de l'arbre, mais elle ne sent plus rien.

Elle ne veut pas penser. Elle ne veut pas se souvenir de cette furie, de cette violence pure, inimaginable. Elle transpire et, pourtant, elle est glacée. Elle tremble de partout, à bout de force. Et pas une larme, rien sinon ce sifflement qui sort de sa gorge brûlante.

Et puis, soudainement, le jardin est devant elle.

Comme figé dans le temps, impassible jardin de roses sous le soleil, avec le parc de Julien, là-bas, à l'ombre de l'orme. Avec la terrasse que le soleil quitte tranquillement. Essoufflée, épuisée, elle traverse le jardin, écœurée par l'odeur douceâtre des roses. Elle traverse le large espace vert et gagne la cuisine.

Elle est trop bouleversée, trop secouée pour faire attention à Simon. Elle entre dans la cuisine, presque fraîche maintenant et va directement à l'évier pour laver sa plaie.

Elle met de l'eau délicatement, doucement sur sa bouche et la brûlure s'amplifie. Incapable de faire un geste, elle reste là, appuyée devant l'évier, devant l'eau qui coule, penchée en avant, le corsage ouvert, déchiré sur ses seins marqués par les ongles de David.

Elle ne pleure pas, ne parle pas, elle attend d'avoir la force de faire quelque chose.

Simon, sans un mot, va au congélateur, y prend de la glace et lentement, avec mille précautions, il retourne Catherine, la tient doucement par le cou et passe d'une main légère la glace sur sa bouche gonflée. La bouche entrouverte, Catherine le laisse faire, presque étrangère à ces gestes doux, le regard perdu.

Ce n'est que lorsque l'effet de la glace commence à se faire sentir, quand elle engourdit la douleur, l'élancement, qu'elle regarde le visage de Simon.

Simon, qui fixe sa blessure en pleurant, Simon, dont la bouche tremble sous les sanglots muets. Simon qui pleure.

Elle tend la main et touche ses yeux, ses joues luisantes de larmes avec précaution. Et là seulement, la douleur éclate en elle, comme une autre blessure insoupçonnée qui se met à couler.

Elle ne sait que pleurer en hoquetant son nom désespérément: «Simon... Simon...» Et lui la prend dans ses bras comme pour la supplier, l'abriter et il murmure avec cette voix brisée, cassée par les larmes: «Pardonne-moi mon amour.»

Catherine ferme les yeux et sanglote contre sa poitrine. Et le sel des larmes brûle sa bouche, mais, pas plus que lui, elle ne peut s'arrêter.

18

Ils boivent leur thé face à face, brisés et prudents comme des convalescents. Le thé, la panacée que Charlotte administre à n'importe quel choc.

Pas un mot n'a été prononcé entre eux depuis leurs larmes. Les yeux sont secs, la plaie aussi. Après sa douche, Catherine a mis un autre chandail de coton semblable au premier. Elle tient sa tasse à deux mains et elle tremble quand même.

Simon la regarde, aussi blessé que si son fils l'avait battu, lui. Aussi mortifié, atterré. Mais, encore une fois, ce n'est pas la fragilité de Catherine qui le frappe, c'est sa force. Même ébranlée, même meurtrie, le visage bouffi, enflé, il perçoit sa capacité de vivre, de réagir, de combattre.

Et il l'aime.

Jamais l'aveu n'a été aussi simple que dans cette cuisine avec la truite saumonée en gelée qui se dresse entre eux, avec cette violence qui marque encore la bouche de Catherine. Jamais il n'aurait cru pouvoir s'avouer cela avec autant de calme. Comme si le fait n'entraînait aucune conséquence. Comme s'il était complet en soi.

Catherine dépose sa tasse. Son regard est vague, pas une seule fois elle ne l'a regardé vraiment. Enfin, pas comme elle le regarde souvent, avec précision, acuité.

—Julien?

Sa voix est rauque, comme si elle avait trop crié ou qu'elle était grippée.

— Il dort encore.

— Quelle heure il est?

— Deux heures et demie.

Seulement? Incroyable! Elle aurait juré que toute la journée s'était passée, que la violence l'avait engloutie. Cette énorme crevasse pouvait-elle vraiment ne s'être produite qu'en une heure et demie? Dieu, que c'est rapide pour broyer, anéantir tous ces efforts, toutes ces énergies. Que c'est bref !

Elle ne discute plus, Catherine, elle admet, acquiesce, elle ne résiste à rien: si ça fait une heure, eh bien, ce sera une heure, quelle que soit son impression. Et lui? Quelle impression a-t-il, cet homme? Elle le regarde et détourne les yeux: trop compliqué, trop difficile pour elle de négocier avec cette partie de ses émotions, trop épuisant après sa lutte, sa course.

Elle reprend sa tasse vide, la contemple un peu, comme si les réponses y flottaient.

— Il faut aller chercher David.

Voilà, c'est donc ce qu'elle a dit. Simon se redresse comme si elle l'avait frappé.

— Pourquoi?

Elle hausse les épaules, fatiguée. Pas d'explication, c'est comme ça, elle le sait. Il va se terrer, se cacher comme une bête malade jusqu'à la nuit s'ils n'y vont pas. Son propre père ne sait donc pas ça? Elle ne veut même pas savoir s'il désire l'ignorer; elle, elle le sait et ça suffit. Sa journée a été suffisamment brutale. Elle n'en peut plus, n'a plus envie ni d'explication, ni de raison. Et elle n'est pas certaine du tout d'être une victime. Enfin, pas au sens strict du terme.

Elle regarde le jardin derrière la tête de Simon, le jardin magnifique. La beauté du jour, du soleil sur l'herbe et sur les roses... elle est immensément lasse, presque dissociée de son centre. «C'est la fête à Charlotte», c'est tout ce qui reste dans sa tête, comme une ritournelle, un «jingle» publicitaire qui ne se laisse pas oublier. Elle sourit: c'est si ridicule d'être obsédée par cette petite phrase chantée.

Elle murmure: «C'est la fête à Charlotte.» Et Simon se demande si elle se moque de lui, si elle veut lui signifier l'énorme absurdité de la journée.

Il a peur qu'elle ne prenne des décisions terribles et, en même temps, il redoute de penser seulement à ce qui devra, de toute façon, être fait. Il souhaiterait tellement un cessez-le-feu. Est-ce que c'est l'âge qui le rend moins combatif? Même cette question, il préfère l'éviter. Il se sent aussi lâche que sa progéniture.

Catherine se lève péniblement: «Allez-y, Simon. Allez chercher David.»

Et elle sort sur la terrasse. Elle regarde les roses:

elle n'éprouve plus aucune haine, aucune colère contre ces roses qui l'avaient tant choquée. Seulement une immense lassitude. Et le sentiment que tout est perdu, qu'il est bien inutile de protester, d'argumenter, ratiociner. Trop tard.

Jamais elle n'aurait cru que le désespoir pouvait prendre cet aspect tranquille, presque serein. Elle profite de cette fausse paix, de cette trêve inespérée. Elle flotte un peu, anesthésiée par le choc. Elle est surtout heureuse de ne pas éprouver de désir, d'avoir obtenu une sorte de repos momentané. Un instant de neutre absolu, total, d'indifférence parfaite, sans amour, sans haine, sans échec, sans victoire. Le néant.

Être au cœur de sa douleur et ne plus la ressentir. Au cœur du feu sans la brûlure.

Simon sort à son tour, passe près d'elle et va vers le bois pour chercher David. Il n'ose aucun geste, aucune parole: de quel droit aurait-il un avis, un désir? Il se sent aussi mal en point que s'il s'était battu, lui aussi. Et aussi inexplicablement honteux.

Catherine se dirige vers l'orme et s'assoit dans l'herbe près du parc où son fils dort, admirable de beauté dodue et repue, la bouche entrouverte. Un filet de bave coule sur la Didou et l'imbibe, forme une tache plus sombre sur la couverture repliée sous sa joue.

Elle appuie la tête contre les barreaux du parc et, doucement, à chaque respiration légère de Julien, elle laisse une certaine paix descendre en elle.

19

Quand il y a un meurtre à l'intérieur d'une famille, même désunie ou faussement unie, il est fréquent de constater une immédiate et féroce solidarité de tous ses membres envers celui qui a tué.

On dirait une phrase de manuel scolaire! Et Simon ne sait pas pourquoi c'est ce genre de réflexion qui lui vient à l'esprit en cherchant David. Peut-être parce que pour la première fois de sa vie de père, il se sent coupable. Coupable, ou plutôt triste, profondément désolé de la solitude de David, du tragique de sa situation qui l'amène à commettre de tels gestes de désespoir.

Il sait bien qu'il s'agit de désespoir et que les pauvres tentatives de son fils tout à l'heure n'illustrent que son immense désir et besoin d'aide. Mais qui peut-on aider? Qui?

Même cette femme qu'il aime, qu'il désire pardessus tout, cette femme là-bas sur la terrasse au soleil, qui depuis des mois l'habite, le harcèle, assaille ses moindres rêves, même cette femme, il ne peut rien faire pour elle. Rien.

L'aimer en silence. Ou peut-être pas en silence. Et encore... que sait-il de son besoin de silence à elle, de son désir d'ignorance? De son désir?

Simon marche lentement, il n'a pas très hâte de retrouver David, il a peur de devoir le consoler et de ne pas savoir comment. Il craint d'être obligé de parler et il ne sait pas quoi dire. Ce qu'il faudrait dire. Ne lui viendront, bien sûr, que des paroles blessantes. Blessantes parce que vraies.

«Toute vérité n'est pas bonne à dire.» Il sourit: c'est vraiment la journée des formules toutes faites! Mais celle-là, il n'y a jamais adhéré. Là-dessus, au moins, la médecine l'avait secouru: tout le monde, même les plus démunis ont droit à leur vérité, même si elle est atroce, surtout si elle l'est. Tout le monde sans exception. Il s'était sauvagement battu pour ce droit inaliénable, surtout quand il s'agit de la vie et de l'espérance de vie d'un patient. Et il avait gagné. Le droit de savoir, la dignité... en quoi l'amour qu'on porte à une femme devrait-il être différent? Pourquoi tergiverser, hésiter, éviter le propos?

Et s'il disait à David: «J'aime ta femme, je la veux, je la désire», qu'arriverait-il? Le tuerait-il? Il est presque vieux, sans grande utilité. Son espérance de vie se résume à quoi, en fait? À une retraite dorée et tranquille dans les roses? Avec une pluie de roses sur sa tombe pour finir? Belle perspective!

Qu'est-il en train de peser, enfin? Ce qui vaut la peine d'être vécu, ce qui vaut la peine d'être détruit, brisé? S'il aimait mieux ou plus son fils, cette femme, aurait-il pu ne pas l'aimer? Est-ce une disponibilité de l'esprit, cet amour qui semble pourtant s'être emparé de lui? Est-ce pour réussir à aimer son fils, par un effet de ricochet, de reflet? Aime-t-il David? Il dirait oui, comme ça, instinctivement. Parce qu'on ne peut pas dire non, on ne peut pas imaginer autre chose. Mais, s'il dépasse l'évidence obligée, s'il creuse? Ce n'est pas un homme vers lequel il irait naturellement pour se confier ou discuter d'un problème qui lui tient à cœur. Pas vraiment à cause de sa nature, mais plutôt à cause de ses valeurs. Des valeurs bourgeoises, tranquilles, rigides et conservatrices. Des valeurs admises, sans originalité, sans audace. La prudence, quoi! Celle de David qui attend encore et toujours d'être rassuré avant de risquer un doigt. Que cet enfant l'irrite ne signifie pas qu'il ne l'aime pas. Il irrite bien continuellement Catherine et elle l'a épousé! Mais ça ne veut strictement rien dire et, s'il va par là, il risque de débusquer certaines surprises...

Peut-être, parce que c'est son fils et pas un autre homme, peut-être qu'il ne saura jamais s'il l'aime vraiment, le statut filial l'emportant sur toute autre considération.

Il ne sait pas. Et il est certain que cette ignorance constitue une des souffrances de David. Le seul fait qu'il doute, même légèrement, constituerait un drame pour David. Et, à cela, il ne peut rien. Il ne peut pas consoler son fils d'être un objet d'amour aléatoire.

Simon s'arrête tout à coup: il ne saurait pas dire ce qui, des deux, s'est imposé à lui en premier; du bruit terrible de la rivière ou de son fils, assis, prostré au pied d'un arbre.

David ne l'a pas entendu. Il est là, figé, les bras anormalement pendants, le regard accroché au néant. Simon toussote pour ne pas le surprendre, mais David est trop loin, trop préoccupé pour l'entendre.

Il s'approche de lui, murmure son nom, rien. David ne bouge pas, il demeure pétrifié. Inquiet, Simon se penche, touche son épaule doucement: «David... David... c'est moi... c'est papa.»

Au dernier mot, David tressaille violemment, a un mouvement de recul effarouché, puis, d'une traite, comme s'il n'attendait que ce moment-là depuis qu'il s'est effondré, il se met à crier: «C'est pas ma faute! C'est pas ce que je voulais dire, je te jure, c'est pas ça. C'est à cause du temps, du temps que ça a pris. C'est à cause des mots, à cause des mots sales, à cause des maudits mots. C'est parce que c'est sale. Y faut pas en parler. Dis-lui, dis-lui de se taire. Faut pas dire ça, faut rien dire. Faut pas, faut pas parler. Dis-lui de se taire! Qu'elle se taise!»

Il est complètement hystérique. Simon le saisit, le secoue violemment et crie plus fort que lui: «David, ça suffit! Calme-toi!» Immédiatement, David cesse, la bouche ouverte, l'œil interrogateur. Il retombe comme une marionnette à qui on aurait coupé tous ses fils d'un coup. Et, à terre comme une chiffe molle, il pleure doucement, sans arrêt, tout recroquevillé sur lui-même.

Simon le regarde et caresse doucement son front, empli de compassion pour son fils qui, pas plus que lui, ne sait comment faire face à ce qu'il est.

— C'est fini, David, c'est fini maintenant.

David pleure toujours abondamment et Simon continue sa caresse et ses phrases qui ne sont utiles que pour le bercement de la voix.

Au bout d'un certain temps, David se calme, se lève, se penche au-dessus de la rivière, s'asperge le visage d'eau. Il revient vers Simon, bouffi, tout rouge.

S'il me regarde, pense Simon, tout n'est pas perdu entre nous. Mais David n'ose pas. Il passe près de son père, les yeux sur ses souliers et marche vivement vers la sortie du bois, sans un mot.

Simon se lève. Il marche derrière son fils, une chanson lui trotte dans la tête, dérisoire, idiote. Un petit air militaire sur les mots: c'est la fête à Charlotte.

20

Grâce à Julien, un semblant de cohésion familiale s'organisa. Comme c'est souvent le cas, le bébé monopolisa les regards et l'attention, permettant ainsi une rigoureuse exclusion de toute confrontation entre les trois autres personnes.

Jaune se mit même de la partie, sortant de son trou, venant parader devant Julien, le provoquer, jouer en se roulant dans l'herbe, se laissant même «caresser» un peu brutalement. Le plaisir de Julien accommodait tout le monde, suffisant même à créer une atmosphère normale, ou enfin, tranquille.

David n'avait pas prononcé un mot. Il était revenu, s'était mis en devoir de ramasser du petit bois pour le feu qui servirait à faire cuire l'agneau. Simon avait regagné la cuisine où, peu après, Catherine était venue terminer son dessert.

Ils avaient jusque-là travaillé en silence, sans tension et sans parole. Simon, en lavant les pommes de terre et en les enveloppant dans du papier d'aluminium, regarde Catherine placer une à une les framboises sur la crème pâtissière. Fasciné, il coupe l'eau et continue de fixer les mains rapides faire leur aller-retour.

Catherine lève les yeux, voit son regard, sourit, lui tend une framboise: «Vous en voulez?»

Il s'approche et, sans y penser, sans préméditation, il se penche vers sa main et prend la framboise avec sa bouche. En fermant les lèvres sur le fruit et les doigts, il reçoit presque une décharge électrique de désir. Saisi, il gémit de surprise. Tout s'est passé trop vite, trop inconsciemment pour qu'il sache comment parer le face-à-face. Tout de suite, les yeux de Catherine le fixent, tout de suite, il s'empare de sa main, la retire délicatement, la tient, incapable de s'en détacher, de la laisser partir, le souffle coupé de surprise, d'envie d'elle.

Sa main, docile, tourne dans la sienne, pivote sans vouloir s'en aller, sa main à elle qui se cale, se love dans sa main à lui. La place est parfaite, il sent presque la vibration du désir dans sa peau. Il tire doucement sur la main, fléchit son poignet, s'approche doucement. Il voit la veine bleue dans la blancheur presque transparente du poignet, la veine qui palpite, vite, vite. Il l'effleure, lèvres entrouvertes, à peine, plus pour respirer la peau que la toucher. Un frémissement dans l'air immobile. Il ne saurait dire à qui il appartient, mais un frémissement qui creuse les reins, ferme les yeux, rend l'air plus rare.

Sa bouche ne parvient pas à s'éloigner de ce poignet. Il promène ses lèvres sur la douceur, la délicatesse de la peau et goûte enfin du bout de la langue.

Catherine tangue un peu, plie, vacille sous le baiser, le corps entier réfugié dans son poignet, dans l'effleurement de ses lèvres. Elle étreint sa main à lui, la serre d'un coup, pénétrée de désir, accrochée, rivée à sa caresse, à sa bouche qui s'ouvre sur sa peau.

Ils ne savent ni l'un ni l'autre qui a cessé, qui a abandonné en premier la main de l'autre.

Mais sur le gâteau, il y a comme un hiatus léger dans l'alignement, jusque-là parfait, des framboises.

21

Tout le monde était dehors quand le téléphone se mit à sonner. Bizarrement, cela eut un effet photographique: chacun se figea dans sa position, comme surpris et mal à l'aise.

Seul Julien, avec un cri de victoire, en profita pour faire débouler l'énorme tour de blocs colorés que lui et Catherine venaient d'édifier.

C'est, dirait-on, le bruit des blocs qui déclenche l'action: David et Simon partent du même coin et en même temps pour répondre et, voyant l'autre, s'arrêtent aussitôt tous les deux. Le téléphone, lui, continue à sonner. Finalement, David y va.

Catherine refait songeusement une nouvelle tour. Simon la regarde faire sans oser s'approcher. Ils n'ont échangé que des banalités depuis la cuisine. Ils savent parfaitement à quoi s'en tenir sur l'ampleur de leur désir, mais ils ignorent absolument quoi faire de cette science. La proximité, le silence, tout est dangereux, menaçant, porteur de risque. Ils n'osent même plus se regarder, comme si leurs yeux les déshabillaient tout à coup.

— C'est maman. Elle est arrivée. Qui va la chercher?

— Ma-man... répète Julien enthousiaste, qui montre sa mère.

À part Julien, ils ne sont pas chauds, chauds à l'idée de partir. Pour Catherine, c'est hors de question avec sa bouche blessée qui vire doucement au bleu et sur laquelle une croûte assez disgracieuse se forme.

L'idée de demeurer seul avec Catherine n'enchante ni Simon ni David, et ce, pour des raisons qui, bien que diamétralement opposées, n'en sont pas moins puissantes.

Les deux hommes disent en même temps: «Je peux y aller.» Julien répète un «Ma-man» enchanté en montrant la bouche de Catherine qui, depuis son réveil, ne cesse de le fasciner. Il tend son doigt encore une fois et clame son savoir, malgré le malaise général: «Bobo... maman bobo», suivi d'une explication beaucoup plus confuse. Ils se regardent tous les trois comme des complices obligés. David propose: «Je peux emmener Julien.»

Catherine riposte tout de suite, presque menacée à l'idée de rester vraiment seule avec Simon: «Non, non, Julien reste ici!»

David, déçu et surpris, murmure un: «Ah bon...» Simon propose mollement: «Je vais y aller si tu préfères.»

Mais David sort ses clés, fait non et se dirige vers la tonnelle: «On a tout ce qu'il faut? Besoin de rien?» Simon fait non. Catherine prend Julien dans ses bras et dit à David, comme pour le rassurer: «Je vais l'emmener à la rivière pour le rafraîchir.»

David prend la peine d'arrêter et de lui crier: «Fais attention!»

Catherine ne peut s'empêcher de lui lancer un «Non!» qui, pour la première fois depuis le matin, le fait sourire. Enfin, une parole normale!

Et c'est presque détendu qu'il part chercher sa mère.

Il est bien près de croire que l'arrivée de Charlotte va alléger l'atmosphère, laver les événements de la matinée, les faire disparaître de sa mémoire même. David a le chic pour l'optimisme forcené. Il sait que ça va mal, mais il veut que ça aille bien. Et il est certain que sa mère saura l'aider.

22

Une fois le bruit de la voiture évanoui dans la chaleur, Catherine est toujours là, debout dans l'herbe, un Julien impatient dans ses bras. Simon fait semblant d'assujettir le bois dans le foyer tout près pour la fête.

Puis, il se retourne et la regarde. Tout ce qui bouge entre eux deux, c'est Julien qui a très bien compris le mot «rivière» et qui s'excite déjà. Catherine le retient, les yeux dans ceux de Simon, sans même s'en rendre compte, fascinée.

Ils n'auront plus vraiment l'occasion d'être seuls, de se parler. Ils le savent.

Mais parler de quoi? Pour dire quoi? Pour cerner quel problème, quel impossible parmi tous ceux qui se présentent? Catherine fait non, dépassée par son impuissance. Elle n'a rien à dire. Elle voudrait se mettre nue, d'un coup, fermer les yeux et qu'il anéantisse l'univers en la pénétrant.

Pourquoi discuterait-elle de problèmes insolubles? Pour souffrir? Merci beaucoup!

Simon attend. Que peut-il faire d'autre? Il ne se voit pas profiter de la situation comme un vieil oncle libidineux. Il ne peut qu'attendre... ou la prendre, ou dire qu'elle est la femme de son fils, ce que tout le monde sait.

Paralysés l'un comme l'autre par l'ampleur du sacrilège, ils demeurent figés comme deux poids d'une même teneur dans une balance et ils savent bien que, s'ils changent de plateau, ils vont faire basculer tout l'équilibre.

Julien, à force de se débattre, coule le long de la jambe de Catherine et se retrouve à terre. Il part, déterminé, vers le fond du parc, vers le sous-bois menant à la rivière.

Catherine sourit, le regarde aller, petite boule d'homme décidé. Elle hausse les épaules et dit doucement à Simon: «Une chance que j'ai gardé mon alibi... On dirait bien que je vais à la rivière, Simon.»

Et elle le quitte, le cœur presque léger, sans même se retourner pour savoir s'il la suit.

Il reste d'ailleurs totalement immobile, indécis, troublé. Lui qui reproche tant à David son manque de résolution se voit réduit à la même indécision. À croire que cette femme a des effets de méduse!

Catherine n'a pas emporté de maillot: elle n'en apporte jamais, la rivière étant isolée, ils se sont toujours baignés nus. D'habitude, elle adore se faire bronzer nue. Mais aujourd'hui, elle hésite: et si Simon venait la rejoindre?

Le fait de savoir change tout. Elle a vu cent fois Simon nu dans la rivière, elle a même admiré son dos, ses fesses, son sexe, ses cuisses. Et elle sait maintenant qu'il a dû faire la même chose avec elle. Mais ce n'est plus pareil. Fini le hasard, finie la coïncidence inconsciente. Elle ne peut plus agir comme si elle ne savait pas. Elle ne peut plus jouer avec une hypothèse excitante. Elle déshabille donc Julien qui ne cesse de babiller, ravi du bruit, de l'eau, du jeu. Elle l'emmène doucement au bord de l'eau, là où c'est presque calme. Julien s'assoit pesamment dans l'eau, après avoir fait son rituel pipi.

Excité, heureux, il tape l'eau, agite ses jambes, arrose copieusement sa mère et rit comme un fou. Il gigote tellement qu'il réussit à prendre une tasse dans dix centimètres d'eau.

Catherine, le t-shirt trempé, de l'eau plein le visage, tient son fils qui semble en voie de devenir un champion mondial de crawl. Elle rit avec lui et répète ses «oh!» sonores et enchantés à chacun de ses bons coups.

— Catherine?

C'est Simon qui l'avertit qu'il arrive. Pour ne pas la surprendre nue, elle en est certaine. Lui aussi est soumis à de nouvelles pudeurs.

— Ici! Près de l'anse.

Elle aurait pu crier: là où j'ai laissé David ce matin, mais elle ne tient pas à remémorer ce souvenir. Ni à gâcher l'endroit en le surnommant «le lieu du drame».

Reviendra-t-elle à cette rivière? Elle se rend

compte tout à coup que rien n'est moins sûr. Rien n'est moins prévisible. Elle promène son regard autour d'elle: les arbres, le vert profond de l'ombre, celui plus léger, comme lumineux des feuilles au soleil, le bruit du torrent plus haut, la petite chute où ils vont se doucher, rire, se faire masser par l'eau tumultueuse, les oiseaux... pour elle, le mot campagne revient exactement à ce paysage, cet endroit. Ce serait donc terminé? Fini? Enfuie à jamais, la campagne?

Simon arrive avec des fruits: «Je me suis cru obligé d'apporter quelque chose!»

Elle sourit, enchantée du ton. Julien tend la main vers l'orange, comme un affamé. Simon la pèle, assis sur une grosse roche. Julien commente dans son langage sibyllin en tapant vigoureusement dans l'eau.

—Vous ne vous baignez pas? Avec cette chaleur...

— Pas avec Julien... c'est trop dangereux.

—Je peux le garder, vous pourriez monter un peu plus haut (il lève les yeux de son orange, moqueur), je promets de rester ici avec lui, de ne pas regarder.

Elle éclate de rire, gênée de tant de franchise et, en même temps, provoquée.

—Je ne suis pas sûre de ne pas avoir envie d'être regardée.

L'orange ne s'épluche pas assez vite au goût de Julien qui proteste, la main tendue. Simon se remet au travail, souriant: «Si on va par là...»

— On risque de se noyer, je pense.

Un silence rempli du bruit de la rivière, des oiseaux, de Julien, mais un silence parfait tout de même, dure le temps que Simon achève sa tâche, se lève, se penche vers Julien, lui tende doucement les morceaux d'orange sans lever les yeux vers sa mère qui le tient pourtant entre ses cuisses. Simon regarde la main de Julien qui s'appuie sur le genou de Catherine, avec une allure de propriétaire satisfait. Le genou doré de Catherine. Il la regarde.

—Je suppose que c'est inutile, superflu et presque vulgaire, mais pour moi c'est important de vous dire que je vous aime.

—Vulgaire?

—Commun... pas très original et plutôt déplacé, non?

—Non.

Personne ne demande: qu'est-ce qu'on va faire, chéri? parce que tout le monde sait qu'on va faire ce qu'on doit faire. C'est-à-dire rien de compromettant. Simon s'assoit au bord de l'eau, à la hauteur de Julien. Il continue, comme pour lui-même: «C'est fort, n'est-ce pas? Ils ne sont pas là, mais ils nous régissent encore plus que s'ils y étaient. Je suis incapable de vous toucher, malgré le désir que j'en ai. Alors que dans la cuisine, avec David tout près...

—Je pense qu'on est très bien élevés...

—Je pense que je déteste ce mot-là.

—On ne se refait pas, malheureusement.

—On ne refait rien... malheureusement.

—On n'est pas pour se plaindre, Simon.

Il fait non en riant. Non, on n'est pas pour se plaindre alors qu'un tel amour, qui survient à peu près une fois dans une vie, lui échoit. Non, il ne se plaindra pas. Et elle?

Elle lui prend un quartier d'orange, mord dedans: une goutte de jus éclate, coule sur son doigt. Il voudrait l'engloutir dans sa bouche, le sucer, la toucher, mettre son visage partout dans ce corps jeune et juteux. Il a une bouffée de désir qu'il accuse d'être une bouffée de chaleur.

— Si vous n'y allez pas, je vais y aller, moi, me baigner!

Il se lève pour se secouer, extirper le désir. Mais il entend le trouble dans sa voix et il se doute, à voir son regard insolent, qu'elle n'en est pas dupe. D'ailleurs, c'est elle qui attaque: «Vous voulez que je vous promette de ne pas regarder, Simon?»

Comme un coup de fouet, le désir le fait s'approcher d'elle, se pencher et lui chuchoter avec une violence incontrôlable: «Puisque de toute façon vous ne toucherez jamais, je m'en fous!»

Et il part, stupéfait d'avoir dit ça et sur ce ton. Secouée, elle lui crie: «Qu'est-ce que vous en savez?»

Mais elle reste là, avec son fils, le dos tourné à la tentation. Julien lui grimpe dessus en placotant. Ses pieds sont encore presque ronds tellement ils sont peu usés. Elle l'aide un peu.

— Tu penses pas, Julien? Qu'est-ce qu'il en sait, lui?

Julien exprime copieusement son opinion qui se termine par l'inévitable doigt sur la bouche de Catherine et le commentaire: «Bo! Ma-man... oh! Bo!» qui ramène Catherine à David et à ses préoccupations.

— Allez-y Catherine: ça fait vraiment du bien.

Il prend Julien dans ses bras avec autorité: «Julien et moi, on va discuter ensemble.»

Elle se lève, elle a chaud, c'est vrai. Et elle a envie du risque qu'il la regarde, de l'exaltation que le désir provoque. Elle aime son désir, son désir poussé, exacerbé. Pour la première fois de sa vie, elle le sent aussi fort, aussi puissant chez lui qu'en elle. Leurs désirs s'affrontent, parfaitement égaux, parfaitement résistants dans leur force individuelle, parfaitement compatibles.

L'eau est fraîche, folle. Catherine s'engloutit dans la rivière, va vers la chute, la laisse la secouer, la soulever, masser ses seins, ses cuisses. L'eau la brasse, la bouscule, la brusque et Catherine se laisse faire, enchantée de pouvoir enfin se laisser aller à un plaisir physique sans que ce soit dangereux ou punissable, sans que ce soit coupable.

Elle rit toute seule au soleil, toute seule sous le bonheur de l'eau qui la pétrit. Un moment de bonheur parfait au milieu de cette journée pénible. Un bonheur indicible, volé à la tourmente, en plein cœur de la rivière déchaînée.

Elle ferme les yeux, laisse l'eau lui labourer le visage. Et puis, tout à coup, elle sait qu'il est là. Elle le sent comme s'il avait soufflé sur sa peau. Derrière elle, tout près, à la regarder, il est là, elle en est certaine.

Sans se retourner, sans seulement vérifier, elle s'extirpe de l'eau et, prenant appui sur les roches, toujours de dos, elle lui offre le spectacle de son corps sur lequel l'eau gicle puissamment.

Elle cambre, s'agrippe au rocher, bousculée par l'eau et par ses yeux qui lui transpercent les reins, lui caressent les fesses. Elle bouge doucement, sans aucune retenue, excitée de le savoir là, à proximité, à la voir vibrer sous le tourbillon.

Elle s'offre à son regard et elle s'y complaît sans scrupule. Elle s'arrondit, se creuse sous la vague et ses bras tremblent tant qu'elle doit se laisser aller et retomber dans l'eau.

En refaisant surface, brusquement, elle se retourne et le regarde.

Julien au creux du bras, qui suce copieusement une écorce d'orange, il est là à la regarder, la brûler de ses yeux.

Elle se soulève doucement, les bras largement étendus dans l'eau pour lui permettre de flotter et elle se renverse vers l'arrière, sur le dos, comme si sa bouche descendait le long de ses seins, de son ventre. Comme s'il la buvait. Le tumulte de l'eau n'est pas plus fort que son désir. Elle ferme les yeux, engloutie d'eau, assoiffée de lui.

Quand elle les ouvre, elle n'a pas à vérifier, elle sait qu'il n'est plus là.

Comme s'il faisait plus frais soudain.

Lorsqu'elle revient, Julien est retourné à l'eau, tenu par Simon. Elle ne dit rien, s'assoit sur une roche. Simon tient Julien qui veut s'aventurer un peu plus loin et rechigne de s'en voir empêché.

Ils devraient rentrer maintenant, ils le savent. Charlotte doit être près d'arriver. Finie la récréation, la fête commence.

D'un coup, Simon soulève Julien et le fiche sur

ses épaules. Un cercle humide se forme sur la chemise, là où les fesses rondes de Julien s'égouttent. Catherine se lève, tend la serviette: «Attendez, je vais l'essuyer.»

Simon se retourne, fixe ses seins qui, de la même manière, ont imbibé d'eau son t-shirt. Il y a plein de rire dans ses yeux, un plaisir évident, une sorte de truculence saine.

— Si Charlotte voit ça, j'ai peur qu'elle vous trouve plus choquante que les fesses mouillées de Julien.

Elle met la serviette devant ses seins. Il rit: «Pas moi! Moi, je ne vous trouve jamais choquante, Catherine. Jamais.»

Elle retire tranquillement la serviette. Il s'approche d'elle, tout grave soudain et il lui dit tout bas: «Je te désire, Catherine.»

Et, avant de s'en aller vers la fête, avant de se taire, se garrotter, elle le regarde franchement, sans détour: «Moi aussi!» et part à toutes jambes.

23

Charlotte émergeait de sous la tonnelle lorsqu'ils sortirent du sous bois. Elle leur fit de grands gestes, comme s'ils étaient sur un paquebot qui s'éloignait. C'était d'ailleurs à peu près ce qu'ils ressentaient.

Elle leur cria: «On arrive tout juste! Fait chaud, non?» David apparaît à son tour, porteur du sac de voyage de Charlotte. Ils s'avancent les uns vers les autres, Charlotte et David plus rapidement, plus enthousiastes, Simon et Catherine lentement, gravement.

À mi-chemin, sur l'immense gazon vert, il y a comme un petit temps, une pause subtile où Charlotte scrute Simon et ensuite Catherine qui a mis la serviette autour de son cou pour camoufler son «indécence». Julien se dandine et tapote affectueusement la tête de Simon. La marche reprend de part et d'autre. Une Charlotte étonnée tend la joue au baiser de sa bru: «Mon Dieu, ma pauvre chérie, qu'est-ce qui t'est arrivé? Une mauvaise chute ou bien ton fils t'a prise pour un caramel?»

Catherine l'embrasse, rit, semble à l'aise: «Exactement! Il a voulu m'embrasser en manquant une marche.»

David est rouge vin, mais Charlotte ne le regarde même pas, elle se précipite sur Julien: «Ah, mon petit démon! T'as fait ça! Tu as blessé maman. Petit sauvage! Petit Julien à sa Grannie!»

Et elle le bécote, le triture, le chatouille, exactement comme Catherine déteste tant la voir faire. Elle se détourne, mécontente: «Je vais me changer.» Elle évite aussi les yeux de Simon qui se penche vers Charlotte en murmurant: «Bonne fête, Charlotte.»

— Merci mon chéri. Mon Dieu qu'on est bien à la campagne! Si tu avais vu la chaleur à Montréal: on la voit monter de l'asphalte, je te jure. Un four! Même ici au village, c'est drôlement plus chaud. C'est desséchant. Trouves-tu, David?

Elle se retourne, voit David debout, immobile, tout bête avec son sac de voyage dans les mains.

— Mon Dieu David, dépose ça, je t'en prie! Tu as l'air d'un valet de pied dans un mauvais film! Je le trouve fatigué notre David, pas toi Simon?

Et sans attendre de réponse, comme si c'était un lieu commun, elle fait tourner Julien: «Pas toi, par exemple! Toi, t'as l'air en forme, mon bébé Julien. C'est toi qui fatigues ton papa? C'est pas très gentil, ça. C'est pas gentil du tout.» Julien adore ça. Il éclate de rire, ravi. David se décide à bouger: «Je vais porter ton sac dans ta chambre, maman.»

Charlotte va s'asseoir dans le coin ombragé: «Rapporte-nous du jus! On a soif, Julien et moi. Viens t'asseoir Simon, il faut que je te raconte...»

— Pas tout de suite. J'ai une fête à préparer, moi!

— C'est insensé, par une chaleur pareille! On devrait faire venir du poulet. Y fait trop chaud pour cuisiner, hein Julien? Y fait trop chaud, trouves-tu, toi?

Julien émet son avis en termes aussi confus que d'habitude.

— Que tu parles bien, mon bébé! Un vrai champion. Tu vas parler avant deux ans, comme ton père, j'en suis sûre. T'as vu comme il veut parler, Simon?

— Tous les bébés font ça, voyons!

— Tu penses? Mais non, seulement les plus beaux, les plus fins, les Julien à sa Grannie.

Elle s'adresse plus à Julien qu'à Simon. Elle soupire, regarde le jardin: «Tes roses sont encore plus belles que lorsque je suis partie. Quel dommage que ça dure si peu de temps!»

— Voyons Charlotte, il va y en avoir jusqu'à l'automne!

— Oui, mais pas autant! Moi, c'est la profusion que j'aime! L'abondance...

Elle se détourne, vérifie que David est bien entré dans la maison, comme une espionne: «Qu'est-ce qui se passe encore? David a une tête d'enterrement, Catherine a l'air d'une femme battue... C'est grave? Il s'est passé quelque chose? Ils se sont disputés?»

— Écoute Charlotte, j'en sais rien, moi. C'est leurs affaires!

— Oh toi, on sait bien! La discrétion incarnée. David t'en parlerait que tu serais capable de lui dire de se débrouiller tout seul! Tu ne le trouves pas triste, toi? J'ai essayé de le confesser dans l'auto, mais il dit qu'y a rien. Il faut que ce soit grave parce que, d'habitude, il se confie.

— S'il dit qu'y a rien, Charlotte, crois-le donc.

— Simon, tu es d'une naïveté qui frise la mauvaise foi! C'est évident que ce couple-là ne tourne pas rond. Et ce n'est pas d'hier!

— Qu'est-ce que tu veux y faire? Laisse-les donc tranquilles!

— N'aie pas peur, je n'irai pas les psychanalyser. Mais admets avec moi que, de toute évidence, ce n'est pas le Paradis et que, mis à part Julien...

— J'en sais rien, Charlotte et je ne veux pas le savoir!

Et il part, presque fâché. Sans se troubler, Charlotte continue son dialogue avec Julien qui, tranquillement, avec application, essaie de déboutonner le chemisier de soie grège.

— Tu vois Julien? C'est comme ça, un homme! Voilà ton avenir: te sauver quand ça va mal. Je ne sais pas si ton père va l'adopter, mais c'est la technique de ton grand-père. À chaque fois que les choses se gâtent, je l'ai vu partir, s'isoler, se mettre à l'abri dans une activité ou une autre. Je ne l'ai jamais vu se troubler pour d'autres problèmes que ceux de l'hôpital. C'est choquant, tu trouves pas, Julien? Les patients sont plus importants que son propre fils. Je suppose que si David avait un cancer, ça finirait par l'intéresser! Et encore: un cancer terminal! Oui, mon bébé, oui Grannie est méchante... c'est parce qu'elle s'inquiète de ton papa. Dis «papa» Julien! Pa-pa?

Julien, à peine distrait de son activité, murmure docilement: «Ma-man! Oh, Bo! Ma-man.»

Charlotte rit et frotte le dos de Julien d'une main énergique. Elle se demande en contemplant les roses, ce qui a bien pu se passer encore avec cette maman.

24

Même dans sa chambre, Catherine entend Charlotte jacasser. Mais au moins, elle peut cesser de sourire, de faire semblant. Elle s'assoit sur le lit, fouille dans son sac: elle n'a apporté que deux t-shirts et l'autre est hors d'usage. Elle le sort, le regarde. Être certaine de ne pas aiguiser la curiosité de Charlotte, elle le jetterait tout de suite. Mais elle est persuadée que Charlotte inspecte même les poubelles pour en savoir plus long sur leur couple.

Il n'y a qu'à attendre que celui qu'elle porte sèche! Elle se lève, le retire, l'étend par terre, dans un carré de soleil. Elle se regarde dans le miroir. Elle s'approche de son reflet. Est-ce que ça paraît? Est-ce qu'il y a une différence dans son corps? Dans ses seins? Elle les prend doucement, met ses mains en coupe dessus. Les touchera-t-il jamais autrement qu'avec ses yeux? Elle voudrait l'entendre dire son nom en lui faisant l'amour. Elle voudrait se frotter contre sa peau, entrer dedans, s'y abstraire de toute autre réalité. Oublier. Son visage est marqué. C'est encore difficile de sourire, ses lèvres sont enflées et, à chaque fois, le «bobo» se craquelle.

Les marques sur ses seins sont moins apparentes. On pourrait presque croire qu'elle a fait l'amour un peu violemment. Avec des fantaisies perverses. Dieu sait si elle est loin du compte!

Elle gratte la tache de farine sur son short. La ligne blanche s'est incrustée. Que la matinée est loin! Qu'il est loin ce moment où Simon lui a mis le tablier, s'est penché sur son cou... Comment ont-ils pu attendre trois ans avant d'accéder à leur désir? Comment ont-ils résisté? Il fallait être aveugle!

Au printemps sur la montagne, comment ont-ils réussi à dévier toute cette énergie en paroles, en discours?

Comment a-t-elle pu, elle, ne plus faire l'amour pendant deux ans sans se dessécher, s'aigrir, se détester? Elle se déteste aussi... et elle n'est pas sûre de ne pas être aigrie. Qui est-elle devenue? Quelle sorte de femme?

Elle se regarde et ne se reconnaît pas. Elle ne se sait pas. Elle ignorait pouvoir endormir son corps si longtemps, le tenir dans un engourdissement inconscient. Elle s'est caressée, a eu quelques plaisirs, bien sûr, mais toute seule, toujours. Et sans jamais *vraiment* voir Simon. En le conservant comme un fantasme diffus, non identifié, en prenant bien soin de ne pas le mettre à jour. En refusant de s'abandonner à lui, même en pensée.

S'abandonner... quel mot étrange, puissant et révoltant. Se laisser aller, couler dans le plaisir, dans le fleuve du sexe. Tout à l'heure, à la rivière, ce qu'elle a fait, cet espèce d'abandon, était-ce la volonté de Simon ou la sienne? À qui, à quoi s'est-elle laissée aller? Elle ne sait pas, mais elle est certaine d'avoir consommé quelque chose de sexuel, d'avoir donné et reçu de Simon, d'avoir cédé à l'abandon. De manière détournée, mais pas moins réelle pour autant.

Des pas dans l'escalier. Simon? Elle va à la fenêtre: non, Simon est toujours là à parler, ou plutôt à écouter parler Charlotte. C'est donc David. Elle ramasse son chandail, l'enfile.

Elle entend David dans la grande chambre blanche. La chambre voisine, pour faire exprès! Pas étonnant qu'elle ait toujours eu de la difficulté à dormir ici. Dieu sait si elle a roulé dans son lit, à seulement savoir ce corps à proximité! Pas étonnant qu'elle ait presque toujours fini ses nuits dans l'autre chambre, sur le lit des grands, à côté du berceau de Julien. À se faire accroire qu'elle ne se sauvait pas de David, qu'elle ne fuyait pas son mari toujours plus empressé auprès d'elle quand ils étaient ici.

Étrange comme la proximité de Simon semble augmenter l'audace de David. Mais peut-être osait-il parce que, dans cette maison, il la sentait excitée, sexuellement éveillée? Vivante...

Presque toutes leurs relations se sont d'ailleurs déroulées dans ce lit, à la campagne.

Est-ce que ça n'est pas ça, tromper son mari? pense Catherine. Pas étonnant qu'elle ait eu ce lieu en horreur; ce lit, comme un mensonge, en horreur.

David frappe. Étonnée, elle mesure l'ampleur de sa gêne, de son humiliation, à ce geste d'étranger.

— Oui.

Il arrive, piteux encore, ou plutôt, gêné: «Je te dérange?»

— Non, j'avoue que je me suis un peu sauvée.

Il s'assoit sur le lit, la regarde se brosser les cheveux vigoureusement. Il soupire, puis plonge: «Je voulais te remercier pour tantôt... le... le mensonge pour ta bouche.»

Elle le regarde dans le miroir, arrête son mouvement: «Mais David, c'était pour moi autant que pour toi.»

— Ça ne fait rien. Ça m'a soulagé. J'aurais jamais su quoi inventer.

Catherine sourit: «T'as jamais menti à ta mère, c'est ça?»

— Je pense que non. C'est niaiseux...

— Tu l'aimes tant que ça?

— Oui. Mais, c'est fou, aujourd'hui je comprends pourquoi elle t'énerve tant. Elle n'a pas arrêté de parler dans l'auto.

Catherine ne dit pas qu'à son avis Charlotte parle tout le temps, a une opinion sur tout, même sur ce qu'elle ne connaît pas. Pour Charlotte, l'humiliation suprême était probablement de ne pas avoir d'avis sur quelque chose. Ce qui ne risque pas beaucoup d'arriver, ajoute mentalement Catherine.

— Catherine?

Le ton de David laisse présager des excuses dont elle ne veut pas. Ou des explications, ce qui serait encore pire pour elle. Il faudrait parler de tant de choses!

— Non, David, c'est pas le temps. Plus tard, quand on aura réfléchi un peu. Pas maintenant, pas ici. D'accord?

— Mais tu ne sais pas ce que j'allais dire.

— Je ne veux pas en parler, David. Pas maintenant.

— Je veux quand même te dire que je ne sais pas ce qui m'a pris.

Catherine dépose sa brosse, se retourne posément: «Je descends, David.» Et elle sort.

David reste sur le lit, déconfit, la bouche pleine d'excuses qu'il ne peut même pas dire. Il a toujours la bouche pleine de mots imprononcés.

Il prend le sac de voyage sur le lit, le range mécaniquement. Il voit le t-shirt sali, déchiré qui traîne sur le dessus du sac et il le prend. Il le met sur son visage et, comme son fils le fait si souvent avec la Didou, il frotte sa joue contre le vêtement en murmurant sans arrêt: «Excuse-moi, excuse-moi, Catherine! Je sais pas ce qui m'a pris, je t'en supplie, excuse-moi!» Et il l'étreint contre lui et il s'étend en le serrant dans ses bras, tout contre son visage.

Il est si fatigué, si épuisé qu'il s'endort, comme ça, le visage contre le t-shirt, à bout de forces, à bout de résistance.

25

— Où est David?

Elle achevait de verser un mince filet d'huile d'olive sur le saumon fumé dressé dans le grand plat. Simon portait les verres et le champagne sur un plateau. Elle le regarde, intriguée: «Il est pas redescendu? Je pensais...»

— Voulez-vous aller le chercher? Il doit dormir.

Julien se met à hurler dehors. C'est l'heure difficile. La chaleur l'éprouve lui aussi. On entend Charlotte tenter de le calmer, bien mal d'ailleurs et sans succès. Catherine dépose son plateau: «Ça m'étonnerait, il ne dort jamais le jour. Et puis avec le concert de Julien...»

Elle monte quelques marches: «David! David, qu'est-ce que tu fais?»

Il sort de la chambre, hirsute, confus: «Je me suis endormi... j'arrive!»

Elle revient vers Simon: «Vraiment! Comprenez-vous quelque chose là-dedans? Il ne fait jamais ça!»

Il tient toujours son plateau de flûtes à champagne: «Les émotions, Catherine. Pas sommeil, vous?» Il joue avec elle! Il la provoque! Elle n'en revient pas. Comme si toute cette histoire avait quelque chose de drôle! Renonçant au tragique, elle le brave, s'approche de lui, le serre de trop près pour que ce soit admissible, les seins presque sur ses mains: «Pardon?»

Les yeux pétillants de malice, de plaisir, il murmure encore: «Pas sommeil, Catherine?» Elle a le temps de chuchoter: «Vous êtes fou!» avant de sortir dignement avec ses victuailles.

Charlotte regarde avec étonnement sa bru arriver avec les seins bandés sous son chandail, comme si elle avait eu froid ou, pire, si elle était excitée. Cette fille l'étonnera toujours!

— Oui, Julien, j'arrive!

Elle prend son fils qui hurle toujours, lui donne un biscuit salé qu'il rejette aussitôt, mécontent. Elle le berce un peu, marche avec lui, en lui tapotant le dos.

— Où est David? demande Charlotte suspicieuse.

— Je viens de le réveiller, il s'était endormi.

— Ah, c'est ça... fait Charlotte satisfaite de trouver une explication à la tenue de sa belle-fille.

Julien se calme enfin, Catherine ayant eu la brillante idée d'aller chercher la Didou dans le parc.

— C'est ça quoi, Charlotte?

— Ah rien... rien... c'est ça, c'est tout. My God qu'il y a du saumon! Mais c'est sybaritique! On n'en viendra jamais à bout!

Simon arrive, suivi de David: «Tu dis ça à chaque année, Charlotte!»

— C'est vrai? C'est bien la preuve que je vieillis, je ne m'en souviens même plus!

— David, les verres!

Simon débouche le champagne dans un «pof» discret et de bon goût, il emplit les verres que David distribue.

— Tu dormais mon grand? Ton fils aurait dû faire pareil!

— C'est fou, je suis tombé comme une masse.

— La chaleur. Il fait tellement chaud! Je ne peux pas croire que j'ai eu l'énergie de naître une journée pareille!

— Bonne fête, Charlotte!

Tout le monde trinque. Julien, les joues roses de sa crise, réclame un verre que Simon va lui chercher. Charlotte épilogue encore sur la chaleur et les étés de son enfance dans la maison familiale, lorsqu'il revient avec le jus de pommes. Il tend le verre à Julien qui boit comme s'il venait de traverser le désert, avec force bruits.

— Julien, pas si fort!

Catherine ne dit rien, mais fixe David avec des yeux qui en disent long sur ses principes d'éducation. Pour bien montrer qu'il a compris, Julien émet un rot sonore, suivi d'un beau sourire soulagé. Catherine éclate de rire, ravie.

— Encore un peu de champagne, Catherine?

Comment fait-il pour être aussi ouvertement de son côté? Les autres vont tout voir, il ne faut pas prendre de tels risques. Et surtout avec Charlotte qui n'en manque jamais une. Il s'approche, remplit son verre: «Vous voulez que je prenne Julien?»

— Non, on va lui laisser faire un peu d'exercice maintenant qu'il est consolé.

Elle le dépose par terre. Julien, très content, part à l'aventure. Rendu assez loin sur le gazon, il se retourne, fait un «tata» de la main et continue sa route. Charlotte est enchantée: «Cet enfant-là te ressemble, David, que c'en est pas croyable! Ton portrait à cet âge-là! Lui as-tu montré les photos que j'ai sorties, Simon?»

— Non.

— Il faut que je te montre ça, Catherine: on dirait des jumeaux. C'est triste à dire, mais il n'a pas grand-chose de toi.

— Sauf ses manières à table, persifle Catherine qui a horreur du leitmotiv: le-portrait-de-son-père. Comme si elle craignait que Julien ne soit pas le fils de David et qu'il faille continuellement le rassurer!

Simon verse du champagne à Charlotte: «Il a même les beaux yeux noirs de son père, n'est-ce pas, Charlotte?»

Mon Dieu, il est téméraire, il est complètement fou! Ça va faire un drame! Pourquoi, mais pourquoi se donne-t-il la peine de répondre à ça?

Charlotte est vexée, bien sûr. Elle arbore un sourire éclatant: «Tiens! Ton père qui se réveille et qui peut dire la couleur des yeux de ton fils, David! My God! Célébrons!»

Le fils en question pousse un cri de joie et s'enfonce dans les roses. David, agacé, est debout et crie: «Julien!» en se mettant à courir après lui. Cette fausse autorité qu'il adopte toujours devant sa mère a le don d'exaspérer Catherine. Il n'a d'ailleurs pas le temps de se rendre que Julien ressort, suivi par la chatte Jaune. Il revient tranquillement vers le groupe.

— Est-ce qu'il ne faudrait pas lui mettre un chapeau, Catherine? Avec le soleil...

— Il est six heures. De toute façon, il l'arrache tout le temps.

David revient bredouille, finit sa flûte d'un trait, se ressert généreusement.

— Mais...

Charlotte est debout, s'approche de la chatte: «... Mais Simon! La chatte est encore enceinte! Franchement!»

Elle semble aussi outrée que si Simon était le père, pense Catherine. Charlotte, d'une main experte, couche la chatte, la tâte; Julien, intéressé, tend la main. La Jaune n'aime pas ça du tout. Charlotte se relève, très professionnelle: «Tu n'avais pas remarqué! C'est incroyable, elle vient tout juste d'avoir des petits. Il va falloir la faire opérer, Simon.»

— J'avoue que la Jaune se donne pas mal de plaisir dans la vie. Tu veux vraiment qu'on lui coupe ça?

— Franchement Simon! Ne sois pas cru, veux-tu? Tu te souviens combien elle a maigri les dernières fois? Elle ne vivra pas vieille si elle continue à ce rythme-là.

«Pas comme nous autres!» David rit, se trouve très drôle. Catherine, elle, n'est pas sûre de trouver amusante la perspective de le voir se soûler. Simon non plus, de toute évidence: «Bon! On va allumer le feu si on veut manger vers huit heures. Mange du saumon, David, parce que tu vas trouver que le champagne cogne avec la chaleur.»

— Si la Jaune est enceinte, on va prendre un de ses petits pour Julien, hein Catou?

Bon! Il doit déjà être saoul s'il l'appelle Catou! «On verra, David.»

David est nettement en forme, le champagne le rend disert: «Catherine est comme mon père: quand elle veut pas, elle dit "on verra". C'est plus pratique, moins compromettant que de dire "non" carrément. Catherine est vraiment parfaite! Comme mon père d'ailleurs!»

Le père en question, occupé à allumer le feu, a un regard intrigué vers David. Charlotte n'aime pas trop le ton que prend la conversation.

C'est Catherine qui brise le silence: «On fait pas la photo? Pendant que Julien est encore debout.»

La rituelle photo de famille, prise tous les ans à la même date, quasiment sous le même angle, pour prouver que le temps n'altère pas ce charmant groupe. La photo qu'elle déteste tant. La photo prise au déclencheur automatique pour que le petit groupe soit au complet. Charlotte féliciterait Catherine si elle pouvait, pour cette diversion: «Mais oui! La photo! On allait oublier ma photo de fête. Tu veux aller chercher l'appareil, mon chéri? Simon, où t'as mis l'appareil? Viens Julien, viens, Grannie va te peigner pour que tu sois un beau bébé à Grannie sur la photo.»

«To!» répète vaillamment Julien, «To», en se mettant à courir pour ne pas être attrapé.

David revient avec l'appareil. Il a déjà les joues rouges parce qu'il a bu. Charlotte vient de mettre la main sur Julien qu'elle débarbouille énergiquement avec une serviette de table. Julien n'aime pas beaucoup ça et il proteste avec vigueur.

— Bon! Tu l'as trouvé? On va se mettre là, près des roses, c'est un endroit épatant pour la photo. Tu vas pouvoir placer l'appareil sur la table, David. Simon, viens! Laisse le feu et viens. Catherine, ma chérie, aurais-tu un autre chandail pour Julien? Celui-ci est un peu taché.

Un énorme rond de jus de pommes sur le devant de son chandail témoigne des manières de Julien. Catherine sourit à son fils, fière de ses excès: «Non, Charlotte, seulement un pyjama. Mais si on le sort maintenant, il va pleurer sur la photo.»

— Tant pis, soupire Charlotte déçue. Viens-tu Catherine?

— Je pourrais prendre la photo moi-même...

— C'est hors de question, la famille ne serait pas au complet! À quoi tu penses, ma chérie?

— Ben oui Catherine, à quoi tu penses, donc, ma chérie?

David est devenu singulièrement agressif avec le champagne. Catherine se dit qu'elle aurait dû le laisser parler tout à l'heure dans la chambre, ça l'aurait soulagé et il serait de meilleure humeur pour «la grande comédie du souper de fête».

— Bon, ça y est, c'est prêt. J'y vais?

C'est toujours David qui a actionné l'appareil.

Charlotte est au centre du groupe, un sourire impeccable depuis le début des préparatifs, au cas. Catherine se tient à gauche, Simon derrière Charlotte qui tient Julien. David se précipite à la droite de sa mère et ils attendent, impassibles, le clic qui suit le grésillement du déclencheur. À la dernière minute, Charlotte aperçoit la Didou que tient Julien. Elle s'en saisit et, d'un mouvement sec qui n'altère en rien son sourire figé, sans lâcher l'objectif des yeux, elle tire dessus et l'écarte. Julien se met à hurler au moment précis où le clic se fait entendre. Catherine se tournait alors vers sa belle-mère avec un regard qui avait avantage à ne pas figurer dans les archives familiales. Elle prend son fils, ramasse la Didou: «Bon, c'est fait!»

— Non, non, on va en refaire une autre. Julien n'était pas à son meilleur.

«Quel euphémisme!» pense Catherine qui s'éloigne et emmène Julien près du feu qui crépite. Elle tient la Didou et son fils en fixant le feu avec application, sans rien dire.

David examine l'appareil: «De toute façon, maman, y a plus de pellicule.»

— Comment ça, plus de pellicule? Je l'ai chargé avec un film neuf hier soir.

Simon s'approche, prend l'appareil, vérifie. David va se reverser du champagne: «Champagne quelqu'un? Charlotte? C'est moi, j'ai pris des photos ce matin... des photos compromettantes... Je constitue un dossier!»

Il rit. Un certain silence se fait, une sorte de flottement bizarre. Catherine est vraiment mal à l'aise, elle évite de regarder Simon, mais elle est certaine qu'il pense à la même chose qu'elle.

Simon a un ton frondeur, à croire qu'il s'amuse: «C'est vrai? Tu as enfin surpris Catherine en train de se faire lutiner par le voisin? Ou bien tu as surpris ton fils au moment où il l'embrassait si sauvagement?»

Le coup porte magnifiquement: David en perd le souffle, il ouvre la bouche et reste là, tout bête, à essayer de se donner une contenance. Catherine est sidérée; il faut que Simon ait eu vraiment peur pour attaquer si bassement ou alors qu'il s'en fiche éperdument. Elle a presque envie d'aller consoler David.

Charlotte, complètement déroutée, rit un peu, à tout hasard: «Je vais en reprendre encore un peu David, si tu veux bien. Je ne te laisserai pas finir la bouteille tout seul. C'est ma fête après tout!»

Pour dire quelque chose, Catherine parle à Julien: «Tu veux du saumon fumé, Julien?» Mais Julien déteste ça et le crache copieusement en faisant une grimace éloquente. Il regarde sa mère sans comprendre en cherchant dans sa bouche d'autres morceaux qui goûtent si mauvais. Ses yeux surpris la font rire: «T'aimes pas ça, mon cochon? T'es pas chic du tout, t'as pas de style! Veux-tu du steak haché? Du bon steak haché de petit prolétaire?»

— Vraiment Catherine, est-ce que c'est une façon de parler à son fils...

Charlotte a la bouche pincée. S'il y a une chose qu'elle ne supporte pas, c'est bien les allusions disgracieuses à la classe sociale.

— Il va s'en remettre, Charlotte, je pense pas l'avoir traumatisé pour la vie.

— Ne prends surtout pas ça pour une critique, jamais je ne me permettrais...

— Catherine est assez susceptible ces temps-ci, maman, faut pas la brusquer.

Catherine se dit que, s'il continue sur ce train-là, David ne verra pas la fin du souper, il va s'effondrer avant, raide saoul.

Mais Charlotte est intéressée, elle se tourne vers son fils adoré: «Ah oui? Nous prépares-tu une surprise, toi? Si je me souviens bien, la dernière fois qu'on a ménagé la susceptibilité de Catherine, c'est quand elle nous préparait Julien.»

Catherine a presque la nausée. Charlotte la fixe avec son œil professionnel: «Pourtant, jamais je n'aurais dit ça. Si je me souviens bien, c'était à mon souper d'anniversaire aussi que tu nous avais annoncé la bonne nouvelle. Ça serait le bon temps, remarque, la fille des Blier en attend un deuxième et son premier a juste l'âge de Julien. C'est un garçon ou bien une fille, Simon? Te souviens-tu ce qu'elle avait eu?»

Simon commence à croire qu'il est dans une foire absurde. Il voit que Catherine est à deux doigts du meurtre: «Catherine, je vous propose d'aller faire cuire le souper de Julien. Non Charlotte, je ne me souviens pas.»

Mais Charlotte ne lâche pas sa proie si facilement: «Catherine! Dis-le, voyons! Es-tu enceinte?»

— Certainement pas! La Jaune est la seule ici à avoir le ventre plein!

Et sur cette vulgarité délibérée, elle leur tourne le dos et s'enfuit vers la cuisine avec Julien.

— Mon Dieu que ta femme s'exprime mal David! Qu'est-ce qu'il y a qui ne va pas? Pourquoi elle fait cette tête-là? De quoi elle nous en veut au juste?

— Elle m'en veut à moi, c'est pas pareil. Catherine est un peu fâchée parce qu'on parle de bébé.

— Pourquoi? C'est normal, il me semble. Elle ne veut pas d'autre enfant? C'est ça? Pourtant, deux enfants, c'est pas excessif. Et puis, elle peut le dire, on est évolués, on peut comprendre.

Simon brûle d'envie d'aller rejoindre Catherine, mais il n'ose pas, son fils lui a fait peur tout à l'heure: «Charlotte, mêle-toi donc de tes affaires. Tu n'en as pas eu deux, toi, et personne ne t'en parle.»

— Moi, mon chéri, si j'avais pu, j'en aurais eu trois et tu le sais très bien. Catherine n'a pas de problème physiologique, David? Physiquement, elle se porte bien?

— Ça dépend ce qu'on entend par physique.

— Qu'est-ce que tu veux dire? Elle ne va pas bien? Faudrait la faire voir à Brunelle. Qu'est-ce que tu en penses, Simon? Brunelle, c'est le meilleur à l'hôpital, non?

— Je pense, Charlotte, que tu exagères! Catherine n'est pas malade.

— Mais David dit qu'elle a des problèmes physiques!

— Je veux juste dire qu'on baise plus.

C'est David finalement qui est le plus étonné d'avoir dit ça. Il considère sa flûte de champagne d'un air outré, comme si elle lui avait extorqué l'aveu. Charlotte, quoique surprise par le vocable, est trop intéressée pour reprendre son fils: «Quoi? Mon pauvre enfant! Mais c'est probablement passager, ça va revenir. Ça arrive dans tous les couples. En parlez-vous, au moins? Faut en parler, David, faut pas laisser les choses s'envenimer. Veux-tu que j'essaie de parler à Catherine? Depuis quand est-ce que ça dure? Un mois? Deux mois? Plus?»

David regarde son père, honteux. Jamais il n'aurait cru devoir faire face à autant de froideur. Charlotte, énervée, interpelle Simon: «Mais dis quelque chose! Un avis, un conseil, aide-le! Ne le regarde pas comme ça, c'est pas de sa faute!»

Simon, froidement, sans quitter David des yeux, murmure un: «Ah non?» des plus dubitatif.

David essaie de rattraper son aveu, mais son insécurité dément chacune de ses paroles: «C'est pas si grave. Ça fait seulement trois mois. On ne fera pas une histoire...» Il bafouille presque, il se tuerait d'avoir laissé échapper une telle révélation et cherche comment s'en sortir tout en restant crédible. Puis, soudain, il a une intuition: «C'est depuis le printemps en fait, depuis qu'on est venus au printemps. Tu sais papa, la fois que vous êtes partis ensemble pour une marche de quatre heures? Elle t'aurait pas confié quelque chose à ce moment-là?»

Simon ne dit rien et commence à trouver son fils assez énervant. Il le fixe, toujours silencieux, pensif. Charlotte, elle, ne demandait que cette explication. Elle saute dessus à pieds joints: «C'était complètement fou cette marche! Assez exagéré à mon goût si tu veux le savoir. On ne part pas comme ça pendant tout un après-midi, Simon. Qu'est-ce que les gens diraient? Vous avez bien dû parler pendant tout ce temps-là? Est-ce que Catherine t'a parlé? Est-ce qu'elle t'a dit quelque chose qui pourrait nous mettre sur la piste? Vous avez bien dû parler de quelque chose! Quoique avec vous deux...»

— Oui Charlotte, mais pas de David. Catherine n'est pas le genre de femme à étaler sa vie privée devant les autres.

Le sarcasme est à peine déguisé, l'accusation aussi d'ailleurs. Charlotte n'est pas dupe: «Les autres! Retiens-toi, Simon! On est sa famille, pas les autres. Tant que ça reste entre nous.»

— De quoi vous avez parlé, d'abord?

C'est David qui s'inquiète, questionne. Il n'a jamais rien pu tirer de Catherine. Tant qu'à s'être humilié devant son père, aussi bien aller au bout et savoir ce qui est arrivé.

Mais Simon n'est pas commode non plus: «Demande à ta femme, David. Si elle veut te le dire, elle le fera. Je ne le ferai certainement pas pour elle.» Et il va remuer son feu énergiquement.

Charlotte considère David: «De quoi tu t'inquiètes, David? Tu penses que le secret de son indifférence est dans cette conversation? Ne t'en fais pas. Comme je connais ton père, il a dû lui parler travail... C'est son sujet préféré. Vois-tu Simon discuter de problèmes sexuels avec ta femme? C'est ridicule! Impensable! Au premier mot de confidence, il se sauverait. Pas vrai, Simon?»

Simon tisonne et ne répond pas, ce qui ne désarme pas du tout Charlotte: «Donne-moi du champagne, David. Ta femme, si tu veux mon humble avis, a besoin d'autorité. Si tu veux un conseil, ne lui demande aucune permission, n'attends pas son consentement: vas-y! C'est peut-être un peu cavalier de dire ça comme ça, mais il y a des femmes qui ne détestent pas être brusquées. Et je ne suis pas certaine que Catherine ne soit pas de celles-là. Qu'est-ce que tu en penses, Simon?»

—Je vais chercher le baron d'agneau, le feu est presque prêt.

S'il ne s'enfuit pas en courant, c'est parce qu'il a une longue habitude de la maîtrise de soi. Charlotte va s'asseoir près de son fils, lui prend la main: «Tu bois trop, mon chéri. Tu bois trop parce que tu es malheureux, parce que tu penses que tout est de ta faute. Tu sais, ton père et moi, on a eu nos périodes de crises, nous aussi. Il faut être bien habile pour sauvegarder un couple de nos jours. J'en ai vu passer des menaces dans ma vie! Mais j'ai toujours conservé le gouvernail bien en main. Souviens-toi qu'il ne faut jamais désespérer: Catherine est têtue, volontaire, mais, donnons-lui ce qu'elle a, c'est une femme intelligente. Et puis, il y a Julien... c'est un atout, ça, Julien. Essaie d'être ferme, mon David, ferme et confiant. Tu es un bel homme, tu sais...»

Elle caresse ses cheveux doucement. David ne peut s'empêcher de se troubler, de ramollir sous l'effet combiné de la tendresse maternelle et du champagne: «Maman... si elle ne m'aimait plus. Si jamais Catherine voulait divorcer? Qu'est-ce que je ferais? Qu'est-ce que je pourrais faire?»

—Que tu es dramatique, mon pauvre enfant! Parce que vous avez une petite difficulté de parcours, un petit obstacle, tu te vois tout de suite divorcé, mal aimé. Mais vous ne vous êtes jamais disputés! C'est pas comme les Boivin! Tu sais qu'Isabelle se sépare? Sa mère m'a appelée avant mon départ pour Boston, elle était au désespoir. Mais leur couple n'a jamais marché, jamais! Ce qui est loin d'être ton cas. Vous vous entendez bien. Vous avez vos petits caprices, mais vous êtes faits pour vous entendre. Catherine est un peu sèche, c'est vrai, elle ne doit pas être commode tous les jours. Je me souviens, lorsqu'elle était enceinte, c'était vraiment délicat, pour ne pas dire désagréable. Mais maintenant, elle s'assouplit, non? Ne la laisse pas toujours gagner non plus, prends ta place!

— Maman, comment tu fais pour savoir si papa t'aime?

— J'y crois, mon garçon, c'est tout! Des fois dans la vie, il suffit de croire pour faire croire. J'ai souvent constaté ça avec mes malades: plus j'y crois, plus ils guérissent. La foi, c'est pas loin d'être magique, tu sais. Mets un peu du tien, fais ta part, Catherine va y croire elle aussi. Cesse d'attendre tout des autres, d'être à leur remorque.

— Tu penses que c'est ce que je fais?

— Émotivement, oui. Je t'ai toujours vu tout attendre de ton père, par exemple. Je n'ai jamais rien dit, mais je le voyais bien. Eh bien, si tu avais moins attendu, il t'aurait donné plus et plus vite. Y a des gens comme ça qu'il faut presque snober pour les intéresser. Faut surtout pas leur faire sentir notre intérêt, ça les désamorce. Ils sont comme ça: s'ils savent qu'on les désire, ils s'éloignent, s'ils en doutent, ils viennent vers toi. Y a des trucs en amour, des petits jeux, ne viens pas me dire que tu sais pas ça! Faut accepter de les jouer.

— Mais Catherine... as-tu déjà remarqué comme elle ressemble à papa des fois?

— Non. Vraiment pas. Catherine est nettement plus brusque, plus agressive que ton père. Elle est loin d'avoir son humour, son charme... Mais à tes yeux, c'est possible. Tu es amoureux d'elle, c'est pas pareil.

— Je le sais pas, maman, je le sais plus.

— Voyons David, tu ne serais pas si malheureux si tu ne l'aimais pas! Ça tombe sous le sens: l'idée de la perdre te rendrait moins triste. Sois logique.

— Des fois je pense que c'est l'idée d'être tout seul, rejeté, pas aimé qui me rend triste. Des jours, je me demande si j'ai déjà aimé quelqu'un dans ma vie.

— Mon Dieu que t'es romantique! Tu peux bien avoir appelé ton fils Julien. Tu as de ces questions, un vrai philosophe! À croire que tu préfères te torturer plutôt qu'être heureux. Tu as un enfant, une femme, un bon métier, tu es jeune, profite, profite, David! Ça ne durera pas éternellement. Crois-en ta vieille mère!

Il s'approche, lui donne un baiser sur la joue: «Ma très merveilleuse vieille mère!»

Elle rit, heureuse, certaine d'avoir arrangé les choses. En partie, du moins. Elle se promet une bonne conversation avec sa belle-fille, pour parachever son œuvre. Au petit déjeuner demain, prévoit-elle. Il ne sera pas dit qu'elle n'aura pas tout fait ce qui était en son pouvoir pour sauver la famille de son fils.

26

Quand il entre dans la cuisine, littéralement propulsé par sa rage, Simon trouve Catherine en train de négocier avec Julien.

Assise à table, l'assiette de steak haché posée devant elle, elle tient son fils sur ses genoux et tente de lui faire avaler une bouchée. Mais Julien, la bavette maculée, les joues poisseuses, préfère de beaucoup manger tout seul avec ses mains et, déçu, il manifeste en conséquence. Il s'étire vers la table, tente d'atteindre l'assiette, fuyant Catherine et sa bouchée tout prête comme si c'était du poison. Il donne des coups frénétiques qui finissent par porter fruit: la bouchée rejoint les autres qui, par terre, témoignent de la détermination de Julien.

— Bon, c'est correct, j'ai compris!

Catherine dépose la cuillère, approche l'assiette dans laquelle, sans aucune discrétion, Julien joue et mange en gazouillant. Il tape énergiquement sur le steak pour ensuite se le fourrer dans la bouche.

Catherine rit: «Et ne me dites pas qu'il mange mal, je le sais!»

Mais Simon s'approche d'elle, violent, de la fureur plein les yeux, hors de lui. Il s'agenouille près d'elle; elle ne comprend pas sa rage: «Simon, qu'est-ce qui se passe?»

Il met sa tête sur sa cuisse, tout près de Julien, il l'enfouit dans sa douceur et murmure: «Je voudrais... oh, mon Dieu, je voudrais tellement...»

— Simon...

Il a l'air si exaspéré, si épuisé. Elle ne comprend pas. Julien se retourne, met du steak haché sur la tête de Simon.

— Julien, voyons!

Simon lève la tête, mange le steak haché en regardant Julien qui, complaisant, lui tend un autre morceau. Simon le prend, le met dans la bouche de Julien qui le ressort et l'offre, au comble de la joie, à sa mère.

— Non, merci Julien. Mange, toi.

Julien le mange, regarde Simon se lever, tend la main pour le retenir: «Ma-man!» Il appelle tout le monde maman.

— Simon...

Catherine est inquiète, elle se doute bien que, dehors, la tension monte. Elle regarde Simon sortir l'énorme baron d'agneau du frigo. Il est calme, mais elle sent bien que quelque chose est à deux doigts de céder, une sorte d'embâcle dangereux. Elle s'essaye à l'humour: «Si je comprends bien, tout le monde est en forme dehors?»

— Ça!

— Ça va être le banquet du siècle.

— Ça risque.

— Simon... il faut pas prendre ma défense trop ouvertement. David est très bouleversé. Il est inquiet.

— Ah oui? De quoi?

— De moi.

— Il a raison?

— Simon... Simon, je t'en prie, pas ça. Pas comme ça.

Simon dépose le quartier de viande, vaincu, découragé.

— Je ne prenais pas votre défense... Je les trouve ineptes ce soir. J'arrive pas à les aimer.

— La grille d'analyse a changé?

— Ouais... la grille d'analyse s'appelle Catherine. La grille d'analyse ne veut plus rien savoir de l'ordre, du raisonnable et de la courtoisie. Il y a quelque chose de révoltant dans le savoir-vivre, dans le contentement de soi poussé à ce point-là.

— Personne n'est heureux ici ce soir, Simon. Personne.

— C'est pas vrai.

— Non?

Elle retient Julien qui veut lui donner à manger de force.

— Non Catherine. Moi, moi je suis quand même heureux. Et ne me demandez pas de m'excuser.

Il prend son morceau de viande et sort.

Julien commente abondamment sa sortie, la bouche pleine. Ensuite, il saisit la Didou et se met en devoir de la nourrir avec ce qui reste de la viande éparpillée sur la table.

— Bon, ça commence à faire mon gars! La Didou a pas faim.

Elle ramasse le dégât, observée par un Julien placide qui tient sa Didou précieusement, triturant un coin particulièrement odorant si on se fie à ses yeux qui se ferment de volupté quand il le respire.

Une fois le désastre «steak haché» ramassé, Catherine prend son fils, lui retire ses vêtements et l'assoit près de l'évier en faisant couler l'eau.

Par la fenêtre, elle voit David se lever et venir vers la cuisine avec le plateau. Le soleil baisse, mais la chaleur ne cède pas un degré. L'ombre des arbres s'allonge, une teinte rosée commence à nimber le paysage. Vu de la cuisine, le tableau est idyllique. Catherine sourit en pensant à toute l'énergie mise à conserver cette note au tableau.

Julien se penche vers l'évier, dangereusement tenté.

— Tu veux ton bain? Tu veux te laver maintenant?

Elle lui retire sa couche, l'assoit dans l'évier. Il tape vigoureusement dans l'eau et parle sans arrêt.

— Placoteux!

Elle lave son visage, il a du steak haché même dans les oreilles!

— Julien! T'en as mis partout!

Elle entend David entrer, le voit déposer les verres un peu brutalement sur la table.

— Ça va?

— Oui... un peu ivre, je pense. Papa m'a dit

d'apporter les patates. Tu sais où c'est?

Catherine les lui montre du menton. Il s'approche de l'évier.

— Tu lui donnes son bain ici?

— C'est lui qui a décidé. Moi, j'ai pas discuté.

David s'approche d'elle, la serre de près, se colle contre elle qui se pousse un peu en espérant ne pas avoir à lui préciser de s'écarter. Il insiste, met sa bouche molle dans son cou. Elle frissonne et ce n'est pas de désir.

— David! Laisse-moi s'il te plaît.

— T'es douce, tu sens le soleil, tu sens bon. Laisse-moi juste te sentir, Catherine. Ça fait tellement longtemps.

Il lui lèche la nuque à petits coups, l'alcool l'aidant à perdre ses inhibitions. L'alcool et le discours de sa mère mélangés.

Elle l'entend souffler dans son cou. Une odeur aigre se dégage, elle est moite de dégoût autant que de salive. Mais pourquoi, pourquoi insiste-t-il? Pourquoi cette attitude soudain?

— David, ça suffit!

Elle s'écarte brutalement. Julien perd l'équilibre et se cogne contre le robinet. Il se met à hurler. David regarde Catherine, hagard. Elle saisit Julien, le serre contre elle. Il hurle toujours et elle est furieuse: «Qu'est-ce qui te prend? Es-tu fou? Tu trouves pas que t'en as assez fait pour aujourd'hui? Vas-tu me sauter dessus tous les quarts d'heure?»

— Penses-tu que c'est normal d'être obligé de te sauter dessus? Penses-tu que c'est normal, ça?

— Laisse-moi tranquille David, as-tu compris?

Touche-moi plus! Jamais. Je ne veux plus jamais que tu me touches.

—Je ne te laisserai jamais partir, as-tu compris? Jamais!

Il la saisit par les coudes, elle s'agrippe à Julien qui hurle toujours, se débat: «Lâche-moi, David!»

—Qu'est-ce que tu vas faire? Tu vas appeler mon père pour qu'il te défende? C'est ça? C'est ça que tu vas faire?

Il est saisi d'une soudaine flambée de violence. Complètement hystérique, au bord de la crise de nerfs, il s'acharne et la secoue. Catherine, à bout de moyen, essayant de protéger Julien qui crie autant de peur que de mal, finit par lui donner un coup de pied qui le plie en deux et le fait enfin reculer.

Elle s'assoit, prend un linge à vaisselle et essuie Julien qui, désespéré, ne cesse de hurler. Une fois séché, elle prend un verre, posément, le remplit d'eau, essaie de faire boire Julien qui se calme un peu et va ensuite porter le même médicament à son père.

Étrangement, David prend le verre d'eau et le boit sagement.

Catherine prend la Didou et enveloppe son fils dedans. Elle lui masse doucement le dos en murmurant: «Là... ça va bien, ça va mieux, mon bébé... C'est fini...»

Julien lève sa petite main et la pose sur la joue de Catherine. Elle tourne la tête et l'embrasse sur les larmes qui mouillent ses joues. Il prend un coin de Didou et lui caresse tendrement la joue, plein de gros soupirs, encore secoué de sanglots spasmodiques, la lippe tremblotante. Il frotte la Didou dans un effort généreux de la consoler elle aussi.

David, sonné, s'appuie au comptoir. Catherine marche dans la cuisine pour bercer Julien. Elle s'arrête à la porte moustiquaire: «Ta mère rapplique. Es-tu correct?»

David fait oui, ramasse les patates: «Il faut parler, Catherine.»

— Pour l'instant, j'ai pas grand-chose à dire.

Il la regarde avec tellement de désespoir, tellement de regret qu'il en fait presque pitié: «Catherine, si j'agis comme ça, c'est parce que j'en peux plus. C'est pas ma nature, tu le sais. Je ne suis pas comme ça.»

— Vous voulez que je m'occupe de consoler ce bébé gâté?

Charlotte arrive pleine de curiosité et de bonne volonté. Catherine n'a vraiment pas envie d'abandonner Julien à qui que ce soit: «Non. Je vais aller lui mettre son pyjama. Il s'est cogné, c'est tout.» Et elle sort.

Comme une complice, presque une concierge, Charlotte se penche vers son fils: «Voyons David, qu'est-ce que tu as? Pourquoi Julien pleurait?»

— Il s'est cogné, Catherine l'a dit.

— Ah bon... J'aurais cru... enfin, si tu le dis! Apportes-tu les pommes de terre? Ton père attend.

— Oui maman, oui, je les apporte!

— Es-tu sûr que ça va? T'as vraiment un drôle d'air.

Il sort sans répondre. Qu'est-ce qu'il pourrait dire? Qu'il a eu un éblouissement dans la cuisine?

Qu'il a voulu marcher sur les traces de son père et que la nuque de sa femme lui était apparue encore plus désirable parce que son père aussi l'avait remarquée?

David fixait son père en avançant vers lui avec les légumes. Était-ce l'ivresse qui lui faisait croire que, si Catherine n'avait pas paru désirable à cet homme, il ne l'aurait probablement jamais épousée? Il eut un arrêt pour se dire qu'il délirait sûrement. Catherine était sa femme à lui, elle lui plaisait et c'était pour ça qu'il l'avait épousée. Pour lui. Pas pour Simon. Simon qui, de toute façon, ne s'intéressait jamais qu'à lui-même. Le reste, tout le reste était dû à son imagination exaltée, exaspérée par la privation de sexe. Il allait dès ce soir faire l'amour à sa femme, qu'elle le veuille ou non. Qu'elle y consente ou non, il allait passer à l'action. Cette idée l'excitait. Il se sentait des forces insoupçonnées, une énergie, une détermination solide, ferme, qu'il n'aurait jamais cru receler.

Le défi le stimulait, gonflait un sentiment presque sauvage de possession. Sûr de son bon droit, certain d'être même idiot de ne pas l'avoir fait avant, David se dit qu'il possédait la solution à tous ses problèmes. Et la violence qui serrait ses dents lui semblait du courage et l'exaltation, le frémissement qui le prenaient à s'imaginer Catherine sous lui, soumise, lui apparaissaient le summum de l'amour et de la virilité.

Peut-être même qu'il lui ferait un autre enfant.

Il sourit, tend les pommes de terre à son père. Simon les place sous la cendre, puis il accroche le baron d'agneau et se met à le tourner lentement. Son fils lui semble de bien belle humeur soudain: «Tu veux le tourner? Je vais installer la table. Charlotte, veux-tu quelque chose?

Charlotte arrive en effet, essoufflée: «Mon chéri, je retire mes chaussures et je serai parfaite. Veuillez m'excuser, messieurs, mais je n'en peux plus. Avec cette chaleur!»

En haut, dans la chambre de Julien, celle qui donne sur la véranda d'en avant, celle où si souvent elle vient dormir avec son fils, Catherine se tient debout sur le seuil, son fils emmailloté dans les bras.

Là, sur la table, trônant entre le berceau d'enfant et le lit, un vase contenant toutes les roses qui s'épanouissent dans le soir doré. Toutes! Toutes les roses de Simon sur lesquelles le soleil descend dans un decrescendo somptueux.

27

Le soir tombait enfin sous la touffeur du jour. Le soleil mourait au bout de son sang. Les chandelles, les lampes à l'huile gagnaient peu à peu sur le soir et faisaient briller les verres, le blanc de la nappe.

L'entrée expédiée, ils en sont à l'agneau. Catherine, son fils presque endormi sur les genoux, laisse son esprit errer, essayant de profiter de cette pause. Charlotte et David, dans une forme éblouissante, occupent tout l'espace verbal avec une discussion inépuisable sur la médecine.

Simon ne dit rien, écoute en fixant son verre qu'il fait pivoter avec fascination. Catherine voit sa main bouger, mais elle s'efforce de ne pas le regarder, de ne pas amorcer de dialogue sous-terrain avec lui. Déjà que les deux autres ne discutent que pour l'impressionner, sinon le provoquer! Charlotte, d'ailleurs, s'échauffe: «...Et aux États-Unis, c'est drôlement plus criant qu'ici. N'oublie pas, mon garçon, qu'ils sélectionnent les candidats à la dialyse, par manque d'appareils. Tu sais ce que ça signifie? La mort pure et simple pour le candidat rejeté. Alors, plus il y aura de greffes, plus ça simplifiera les choses. Mais encore faut-il pouvoir les prélever, les organes!»

— Mais maman, ils vont avoir un autre problème encore plus difficile à régler ensuite! Tu sais bien que c'est le système qui est pourri, pas les découvertes qui ne sont pas assez rapides. Tu le dis toi-même...

— Oh pardon: je n'ai jamais accusé le système d'être pourri. Je ne suis pas une idéaliste, moi. Je suis médecin et je sais pertinemment qu'un médecin n'est pas un faiseur de miracles. La pression des urgences là-bas est inconcevable pour nous. Mais la pression les force littéralement à trouver plus vite. Ce qui ne leur coûte, en définitive, pas plus de morts qu'à nous. Il faut voir ça avec réalisme, David.

— Le jour où c'est ton fils qu'ils refusent de soigner dans leur sélection par exemple, qu'est-ce que tu fais?

— Ah ça! Demande à ton père, c'est lui le spécialiste de l'éthique médicale. Moi, je ne pense pas, je n'élabore pas de théories, je soigne.

— Voyons maman, tu as autant de décisions à prendre que papa. Avant que sa spécialité existe, tous les médecins avaient des pouvoirs de vie ou de mort sur les malades, non? Maintenant, c'est la décision qui revient à certains, c'est tout. Pour soulager les autres, les décharger un peu.

— Quelquefois, si tu veux mon avis, ils sont bien encombrants...

Simon intervient: «Ta mère conçoit la médecine comme elle se pratiquait il y a vingt-cinq ans, David. Mais ce qu'elle n'avoue pas, c'est que les gars comme moi sont bien pratiques pour leur éviter des poursuites. Ils n'ont plus la responsabilité unique des patients.»

— Mon chéri, tu exagères! Je suis parfaitement capable de décider toute seule de ce qu'il y a de mieux à faire pour un patient. Je n'ai aucun besoin d'un moraliste pour venir épiloguer sur sa dignité ou son droit à la dignité. Ce n'est pas parce que j'opère un patient que je lui retire son statut d'être humain et que je ne peux plus concevoir sa vie ou sa mort que comme une victoire ou un échec personnel. C'est navrant d'entendre continuellement la même rengaine de la part des philosophes selon qui un médecin ne saurait pas faire abstraction de ses émotions. Jamais un patient ne m'a donné le sentiment de pouvoir personnel qu'on nous prête trop souvent.

Mais Simon n'abandonne pas: «Mais le sentiment de compétence?»

— Vraiment! Si tu tiens absolument à nous retirer tous les avantages de notre profession sous prétexte qu'ils risquent de la souiller moralement, tu vas te retrouver avec des médecins-robots qui ne seront qu'un paquet de science désincarné. Le sentiment de compétence n'est pas un sentiment de pouvoir! C'est différent.

— Et quand un médecin, pour se prouver sa compétence, s'acharne sur un malade, continue des soins inutiles? Comment t'appelles ça, Charlotte?

— Une chose est sûre, ça n'arrive pas souvent. Moins souvent qu'aux États-Unis, en tout cas. Et puis tu sais comme moi, Simon, que c'est souvent le contraire qui se passe: des médecins qui jugent le patient perdu et qui s'en désintéressent pour ne pas dire pire.

— Même aux États-Unis?

C'est David qui interroge, qui veut conserver sa place dans la discussion. Charlotte parlerait de toute façon, elle est lancée: «Mais mon pauvre enfant, tout est pire aux États-Unis. Ils ont de meilleures méthodes, des cas pires et plus urgents, des hôpitaux archi-bondés, des listes d'attente longues comme ça et des médecins qui font ce qu'ils peuvent tant en recherche qu'en soin. Mais là-bas, ils sont terrorisés par la poursuite judiciaire: si tu voyais les primes d'assurance pour un médecin, c'est à te décourager d'exercer. C'est ruineux. Une fortune! Je ne serais d'ailleurs pas surprise que les comités d'éthique aient vu le jour quand les médecins, exaspérés de payer, ont décidé de former une sorte de tampon entre le soignant et le soigné. Une manière de conseil décisionnel. Qu'est-ce que tu en penses, Simon?

— Ça doit être à peu près aussi sordide que ça, en effet.

— Mais si ça fonctionne, si ça réussit à protéger les malades, peu importent les raisons qui ont précédé la mise sur pied du phénomène, hein papa?

— Ta mère dit que c'est pour protéger les médecins et moi j'estime que je suis là pour protéger les patients. Qui a raison?

— Tout le monde! C'est parfait comme ça. Toi tu protèges la bonne personne, celle qui risque d'être la plus abusée et maman se sent protégée aussi.

— Personnellement, je me sens plus protégée par mon éthique personnelle que par ton père ou des gens comme lui.

— Ah oui? Même papa? Vous êtes-vous déjà affrontés à propos d'un patient?

Charlotte et Simon se taisent, chacun à leurs pensées. Charlotte nettoie poliment son assiette, boit un peu de vin, regarde Simon en souriant, détendue: «Une seule fois, n'est-ce pas, mon chéri?»

Il y a comme une petite électricité dans l'air. Catherine examine Simon. Impassible, il semble être très loin du propos. Mais David, excité à l'odeur du conflit, veut savoir. Il insiste: «Quand?»

— Oh... au début, je crois... C'était au début, Simon? Quand tu commençais comme éthicien, non?

Elle le sait très bien, pense Catherine, elle s'en souvient parfaitement bien, c'est net. Sauf qu'elle a de toute évidence emporté le morceau ce jour-là et qu'elle en a encore les yeux brillants de contentement. Sa compétence professionnelle contre celle de Simon. Simon qui venait de renoncer à la chirurgie, sans doute. Charlotte poursuit, se pourléchant de son anecdote: «Une femme jeune... plutôt jeune, trente-sept ans, c'est bien ça? Oui, oui, une anglophone, je me souviens. Des parents riches, un mari charmant, absolument désespéré, déchiré. Ça Simon, tu ne peux pas me contredire: il était fou de douleur, non?»

— Exactement, fou de douleur. Incapable d'y voir clair.

— Oh, ne commence pas! On ne refera pas le procès!

— Il y a eu un procès? Continue maman...

— Non, il n'y a pas eu de procès, tu penses bien: on s'est très bien entendu. Mais il y avait dissension. Ton père trouvait que je m'acharnais parce que je désirais effectuer un traitement de radiothérapie locale. Il avait réussi à en convaincre les parents qui, finalement, se sont rangés du côté de leur fille qui refusait le traitement. Contre tout bon sens, d'ailleurs. C'était un cancer, un cancer du sein avec métastases osseuses. Elle souffrait beaucoup. C'était effectivement plutôt risqué comme traitement, à cause de son état. Les chances de guérison, là tu vas être d'accord Simon, étaient nulles, mais les chances d'améliorer son état, de lui permettre de durer et de diminuer la souffrance étaient plutôt bonnes. Le mari, lui, favorisait la radiothérapie et la vie de sa femme. Mais elle, appuyée par Simon, s'y opposait. Parce que c'était risqué.

— Et parce qu'elle était enceinte. Donne tous les éléments, Charlotte, puisque tu y es.

— J'allais le dire: elle était enceinte de vingt et une semaines. Encore quelques semaines et le bébé serait théoriquement viable; on pouvait l'accoucher et mettre le bébé en incubateur. Mais dans ce cas, le bébé était secondaire et la radio était le seul moyen de la soulager et d'allonger sa vie.

— Au risque de la vie du bébé! Ce traitement aurait tué le fœtus. Les métastases osseuses étaient au niveau de la colonne lombaire. Ça ne te dit peut-être rien, David, mais je peux te jurer que c'est une douleur intolérable quand un nerf se coince. Un vrai martyre. La seule façon d'y remédier vraiment, ta mère a raison, c'est la radiothérapie. Or les rayons, en traversant l'utérus, auraient tué son enfant. Elle avait refusé, Charlotte, en sachant très bien à quelle douleur elle s'exposait. Elle avait choisi, consciemment, de privilégier son bébé. C'était son droit le plus strict et il fallait le respecter. Elle avait même décidé sa grossesse en sachant que cela risquait de précipiter une récidive cancéreuse. Ça voulait dire qu'elle y tenait, non? Nous n'avions pas à juger ses raisons.

— Ça voulait surtout dire qu'elle était déraisonnable et que c'est bien triste de laisser de telles personnes décider de leur traitement. Vraiment, Simon! N'essaie pas de me faire admettre les mobiles de cette femme. C'était une grossesse suicidaire! Et toi qui gobes ses raisons et la soutiens. Elle n'aurait jamais dû avoir ce bébé. Je l'avais prévenue, avertie. Elle s'est entêtée, malgré mon avis. Avoir su, j'aurais parlé au mari. Lui aurait été plus sensé et aurait tout simplement refusé de le lui faire.

— Aurais-tu été jusqu'à les surveiller dans leur lit? Qu'est-ce qu'on sait de l'importance d'un enfant pour cette femme?

— Un bébé hypothéqué, dont la survie n'était pas assurée à soixante pour cent. Comment ce pauvre garçon pouvait-il en vouloir s'il était responsable de l'aggravation de l'état de santé de la mère? Vraiment Simon, on n'a pas à entrer dans de pareilles considérations! On doit soigner au meilleur de notre connaissance sans tout remettre en question pour des réalités affectives.

— Mais c'est toi qui as mis dans la tête du mari que le bébé ne serait probablement pas viable. C'est toi qui jugeais qu'il ne serait pas raisonnable de lui «coller un enfant» comme tu disais. Toi qui as décidé que ce n'était qu'inconscience égoïste de sa part à elle. C'est ton jugement à toi qui a prévalu dans cette affaire, ton sentiment, même! Rien d'autre.

— Je t'en prie: c'est quand même elle qui a signé. Je n'ai rien décidé pour personne.

— Tes pressions morales sur elle n'étaient pas loin de l'acharnement. Et Dieu sait que tu as argumenté, insisté, que tu n'as pas cessé de la harceler. Et je ne parle pas de lui! Je persiste à dire que ce n'est pas de la médecine intègre. Il y avait une patiente à protéger autrement que physiquement. Une sorte de dignité si tu veux...

— Tu es de mauvaise foi, tu dis ça parce que j'ai gagné.

— Écoute, Charlotte...

— Veux-tu la laisser finir, papa? Continue, maman.

— Elle a signé. J'ai procédé. Elle a effectivement avorté, mais elle a survécu six mois. Six mois volés littéralement à la mort, Simon. Six mois pendant lesquels elle a parlé, vécu sans cette douleur intolérable. Dignement, pour employer ton expression.

— Six mois pendant lesquels elle a pleuré son

bébé, complètement droguée parce qu'en pleine dépression, incapable de se remettre de son sentiment d'échec personnel à cause de la perte de son bébé. Six mois où elle a appelé la mort de toutes ses forces, où, chaque fois que je l'ai rencontrée, elle a abordé le sujet.

— Ce n'est pas parce qu'une patiente est dépressive qu'il faut l'achever, Simon! S'il fallait les écouter! Dès qu'ils entendent le mot cancer, c'est comme si on leur ouvrait leur tombe pour les inviter à s'asseoir dedans. L'ignorance du public, là-dessus, est terrible. Et la famille est bien souvent épouvantable. Aucun soutien, aucune aide: ils se désespèrent parce que le patient va mourir, et, si jamais il a le malheur de durer plus longtemps qu'on a prévu, ils nous en veulent d'augmenter leur douleur, leurs terribles douleurs d'arrachement! J'en ai vus me supplier d'achever un malade parce qu'ils n'en pouvaient plus de le voir mourir, de le savoir en train de mourir.

Mais David veut revenir au conflit qui a opposé ses parents, il aime bien être chatouillé par cette agressivité qu'il sent entre eux deux. Cette discorde qu'il devine importante: «Comme ça, papa a perdu cette fois-là. C'est maman qui a gagné?»

— Si on veut voir ça sous cet aspect, oui, c'est ta mère qui a gagné. Mais, pour ma part, je trouve assez malvenu de considérer la mort de quelqu'un en fonction d'une victoire ou d'un échec, je l'ai dit tantôt. Quelle que soit la meilleure solution médicale, je trouve terrible et inexcusable que Sally soit morte aussi désespérée.

— Sally! Tiens, tu te souviens de son nom?

— Je me souviens très bien d'elle. De son visage, de son désespoir.

— Étais-tu émotivement engagé, comme on dit? La trouvais-tu trop belle, par hasard? Est-ce que c'est pour ça que maman s'est opposée? Parce que la patiente était trop jeune, trop belle?

Charlotte prend le parti de rire: «David, si ça avait été le cas, j'aurais choisi l'option de ton père. J'aurais eu avantage à la souhaiter morte. Ce qui est hors de question, évidemment.»

— Vraiment? Je suis sûr que papa la trouvait de son goût... han, papa? Un médecin, c'est un homme aussi, ça doit bien avoir des faiblesses.

— J'en ai, David, ne t'en fais pas. Mais pas pour Sally, désolé de te décevoir. Il faut que tu sois bien ignorant pour croire qu'une cancéreuse en phase terminale puisse être très sexy. Elle était attachante, c'est vrai, mais certainement pas de la manière que tu insinues.

— T'as beau me traiter d'ignorant, je pense quand même que maman avait raison. Pourquoi sauver un bébé qui n'aura pas de mère?

— Attention David, ce n'était pas mon raisonnement! J'ai dit que...

— Non, mais laisse-moi finir, maman! Moi, je prends la position du mari: c'est celle que je connais le mieux dans le fond, qu'est-ce que t'en dis, Catherine? Eh bien, si cela arrivait à Catherine, même enceinte de six mois, je voudrais qu'on la garde en vie, qu'on la traite, qu'on lui permette de durer plus que n'importe quoi d'autre. Et je refuserais catégoriquement que tu viennes mettre ton nez de moraliste là-dedans. (Il lève son verre.) Parce que je suis sûr que ça ferait comme pour la Sally, ça te ferait plaisir de prendre pour elle, de défendre ses positions à elle comme un preu chevalier. Et puis, une fois sauvée par les bons soins de maman, tu irais faire l'homme qui comprend et tapote affectueusement l'épaule de ma femme. Tu irais lui ouvrir tes bras pour qu'elle puisse pleurer son bébé mort! Moi, si j'avais été le mari de Sally, j'aurais exigé de ne plus te voir approcher ma femme.

— Tu serais pas un peu jaloux, par hasard? Le mari de Sally n'avait strictement rien à me reprocher.

— Tais-toi donc! Laisse-moi finir: j'extrapole, je vois avec mes yeux ce qu'il y a à voir. J'imagine très bien Catherine défendue par toi contre maman. Je la vois très bien à l'article de la mort, jouer encore la grande généreuse qui veut sauver l'enfant. Et toi qui marches là-dedans, bien sûr. C'est tellement édifiant, tellement altruiste comme position! Et tellement pratique pour la séduire.

Charlotte fronce les sourcils, dépassée par le ton agressif de David. Elle pousse un peu la bouteille pour la rendre moins facilement accessible. Simon réplique gentiment en essayant l'humour pour calmer son fils: «Un peu morbide ta comparaison, tu trouves pas? On va laisser encore une petite chance à Catherine.»

Catherine enchaîne, moqueuse: «En tout cas, je ne ferai certainement pas un cancer pour te donner l'occasion de vérifier tes fantasmes dramatiques, David. Ne compte pas sur moi.»

Charlotte est outrée de voir Catherine prendre la colère de son fils à la légère et risquer ainsi de le choquer davantage: «Ma pauvre chérie, ne le prends pas comme ça. On discute, c'est pour rire, pour passer le temps. Personne ne parle d'un vrai cancer, voyons!

—Je n'ai aucun fantasme dramatique, mais je pense que mon père est trop sensible au charme féminin pour s'occuper des belles femmes.

— David veut dire qu'il a trop peur que les belles femmes soient sensibles au charme de son père! résume Catherine, de plus en plus choquée par l'allure que prend la conversation.

— Pas du tout! Je dis ce que j'ai à dire, Catherine. Cesse de me reprendre comme si j'étais un enfant!

— Si on va par là, tranche Charlotte, aussi bien dire qu'on ne pourra plus soigner que les patients de son propre sexe, pour ne pas être tenté ou troublé. Ce n'est pas très réaliste, David, mais ça pourrait augmenter les effectifs féminins en médecine. Là, évidemment, on exclut le problème que posera l'homosexualité.

Mais David s'entête, c'est son père qu'il vise: «Non maman, moi je parle pour lui, pour ce que je sens de lui. Tu n'as jamais pensé que Sally a pu vouloir garder l'enfant parce qu'il avait réussi à lui mettre ça dans la tête?»

«Une femme peut penser par elle-même, tu sais, David, même si tu n'arrives pas à l'imaginer.» Le ton de Catherine n'est vraiment plus très aimable. David se tourne vers elle: «Toi, tu te tais. Je parle à ma mère. Qu'est-ce que tu dis de ça, maman? Il t'a bien accusée d'influencer le mari tantôt, pourquoi pas lui avec la fameuse Sally? Parce qu'il est parfait?»

— David, c'est une option qu'elle avait choisie avant de rencontrer ton père. Il faut admettre ce qui est: Simon n'a influencé personne, il a essayé, au meilleur de sa connaissance, de soigner cette femme et moi aussi. Je t'en prie, restons-en là.

Mais David regarde son père, les yeux brillants d'exaltation: «Non... moi je pense que ça l'amuse d'influencer les gens, de les forcer à agir comme il pense. Ça lui donne du pouvoir. Il s'imagine pouvoir séduire tout le monde avec son charme. Il s'imagine qu'il peut diriger, commander tout le monde rien qu'avec sa volonté. Je peux en parler, il l'a assez exercé sur moi, son pouvoir. C'est pas pour rien qu'il t'accusait d'abus tout à l'heure, maman, il sait de quoi il parle!»

Simon rit: «Si je comprends bien, mon temps est fini. Je n'ai plus aucun pouvoir puisque tu le dénonces.»

— Exactement! Fini le temps du règne absolu. Va falloir trouver d'autres victimes, mon cher père!

Simon sourit, franchement amusé: «Je suis heureux de l'apprendre.»

— Et surtout, touche pas à ma femme. Je te connais. Tu pourrais vouloir te venger de ton échec en essayant de séduire ma femme.

— Je vais coucher Julien.

Catherine se lève avec son fils profondément endormi dans les bras.

— Toi, tu restes là! Tu partiras quand j'aurai dit ce que j'ai à dire.

Catherine se retourne vers lui. L'heure de la patience est, de toute évidence, passée: «Désolée, David, tu as peut-être décidé de t'affranchir de ton père, mais n'espère surtout pas le faire sur mon dos. J'en ai plein le cul des faibles qui se refont des forces sur leurs femmes. Fais tes gammes ailleurs.»

Et elle s'éloigne sans attendre de réponse. David est raide de rage: «Fais attention à toi, Catherine! Si tu vas trop loin, ça va barder! Tu vas y goûter, maudite folle!»

Il lance son verre encore à moitié plein dans sa direction. Catherine ne se retourne même pas. Simon se lève tranquillement, va chercher le verre dans l'herbe. Charlotte est estomaquée: «Mais enfin, David... Qu'est-ce qui te prend? Pourquoi hurler comme ça?»

David est furieux: «As-tu vu? As-tu vu comment elle me parle? Et tout ça c'est de sa faute, sa faute à lui! C'est lui qui la monte contre moi, qui lui parle contre moi, qui espère la détourner de moi. Et puis après elle, ça va être Julien. Penses-tu que je le vois pas, ton jeu? Ton jeu d'homme pervers, obligé de séduire tout ce qui bouge? Vas-tu arrêter? Vas-tu en laisser pour les autres? Vas-tu débarrasser le plancher? T'es pas encore assez vieux pour laisser un peu de place aux autres? Qu'est-ce qu'y va falloir faire pour que tu te résignes? Pour que tu nous foutes la paix? Quoi? Se sauver au bout du monde? Te tuer?»

— David!

Charlotte est debout, blanche de colère, de

stupéfaction. Simon l'arrête, prend son bras, la force à se rasseoir: «Laisse-le parler, Charlotte. Supporte un peu de gros mots, ça va le soulager.»

— Non, mais regarde-le, regarde-le, maman! Encore à décider, à gérer même l'agressivité. À permettre, à laisser faire! Mais pour qui y se prend? Tu peux pas m'empêcher de parler! Même si tu voulais, tu pourrais pas. Je ne suis pas un enfant, je suis un homme, un père de famille. Et tu vas cesser d'influencer ma femme, de la détourner de moi, de la rendre agressive, violente. On dirait que tu lui donnes des cours. Des cours pour qu'elle apprenne à me mépriser, à me condamner à devenir un minable. Un minable comme t'aurais tellement voulu que je sois pour être certain de rester le roi, le maître absolu, le grand boss, le premier, celui qui décide de tout pour tout le monde, celui qui a droit de vie et de mort sur tout le monde!

— Mon Dieu, David, tais-toi! Tu as complètement perdu le sens commun. Ton père est loin d'être le monstre que tu décris. Ça suffit maintenant, le délire.

— Regarde-toi! Regarde-toi prendre sa défense, courir à son secours! Tu serais prête à me renier pour lui, à me tuer s'il décidait que c'est ce qu'il y a de mieux pour moi. Tu ne discuterais même pas comme pour Sally. Moi, ça ne serait pas grave, pas si important que ça. Quand est-ce que tu m'as donné plus d'importance qu'à lui? Quand? Jamais! C'est toujours lui qui passe avant tout, avant tout le monde. Le Roi Simon! Le père, le mari, le médecin parfait qui a un enfant parfait. Il me surveille encore pour voir si je vais faire quelque chose de tordu, quelque chose d'imparfait. Demande-toi donc pourquoi ma femme est écœurée de moi! Parce qu'elle le sent mettre son nez dans nos affaires, à surveiller si je fais bien ça, si je me comporte comme un homme, un vrai. Peut-être même qu'il l'a déléguée pour me guetter, me surprendre à mal faire, à mal me comporter. C'est ça! C'est déjà commencé... Ben c'est fini, as-tu compris, fini! Je laisserai personne diriger ma vie. Je laisserai personne décider pour moi, à ma place. Je vais accepter cet emploi, que ça te plaise ou non. Et tant mieux si ça te plaît pas. Et tant mieux si ça te fait chier. Et je vais faire un autre enfant à ma femme ce soir. Et ça, que ça te convienne ou non. Je t'interdis de te mêler de ma vie conjugale. As-tu compris? As-tu compris maintenant?

Malade de rage, David frappe violemment sur la table et fixe son père, les yeux égarés. Il est complètement ivre. Simon fait oui de la tête doucement, longuement. Il tient encore solidement le bras de Charlotte qui respire fort, tendue, extrêmement inquiète. Elle n'ose ni aller vers David, ni parler. Un silence total s'installe au milieu du chaos.

Il fait noir maintenant. Les bougies seules éclairent les visages pétrifiés de Simon et Charlotte. David, l'air heureux, quasi soulagé, a un petit rire nerveux. Après une longue inspiration, il se met à parler calmement, presque en chuchotant, dans un apaisement plus inquiétant encore que son hystérie précédente. Il termine posément le verre de vin de Charlotte.

— Je voulais mettre les choses au point, une fois pour toutes. C'est pas mon genre de crier, tu le sais, papa. Mais aujourd'hui, vraiment, il y a des choses qui sont allées trop loin. Tu vois ce que je veux dire? Je ne voudrais pas que ça se reproduise. Tu me comprends, je pense?

Charlotte ne comprend rien. Elle se tourne vers Simon qui fait un autre «oui» pensif, obéissant. De quoi parlent-ils?

— Pour ce qui est de Catherine, je m'en occupe. Je pense que je l'ai laissée prendre trop de place dans notre couple. Faut que je prenne ma place aussi. Faut que j'apprenne à prendre ma place. Encore une chose que tu as oublié de m'apprendre: prendre ma place. Je veux pas t'accabler, mais y a des choses qui manquent dans ton éducation, mon cher père!

— Sans doute, David.

— Mais on va faire avec, comme on dit. Je t'en veux pas tu sais. J'ai jamais été capable de t'en vouloir. C'est mon premier défaut. J'étais pas capable de te remettre en question. C'est fou, han? Mais ça passe ça aussi. Tu es un homme dangereux, tu sais. Un homme qui a trop de charme. (Il regarde son père en souriant, détendu, presque absent de bien-être soudain. Très sûr de lui, de son contrôle personnel.) Pas facile de tuer un père comme toi! Mais on y arrive.

Il s'étire vers la bouteille hors de portée: «Encore un peu de vin? Faut pas laisser cette bouteille-là se perdre.»

— Non merci, David, j'ai bien assez bu ce soir.

Charlotte dégage sa main, essaie de faire signe à Simon, discrètement, dans l'espoir qu'il empêche David de boire encore. Simon ne bronche pas. Elle se risque timidement: «David, mon chéri... tu ne penses pas qu'on a assez bu?»

— Non maman. Et je suis assez grand pour savoir quand j'ai assez bu. Je pensais que j'avais été clair là-dessus? Papa? Un peu de vin?

Simon tend son verre sans rien dire, ce qui contente David. Il remplit le verre, trinque, plein de supériorité: «Alors? À nos nouveaux rapports. Sans rancune?»

— Bien sûr, sans rancune David.

Ils allaient boire quand Catherine revient avec le feuilleté aux framboises. Elle le dépose sur la table devant une Charlotte pétrifiée: «Voilà! Je pense qu'on peut passer au dessert, non? Bonne fête, Charlotte!»

David rit pour lui-même et murmure sournoisement: «Le feuilleté parfait de ma parfaite épouse! Bravo, Catherine!»

Catherine fixe pensivement le couteau à découper, le feuilleté et puis, posément, elle s'adresse à David: «Si on faisait une pause, David? Pour la fête de Charlotte... une sorte de trêve pour le dessert, non?»

David regarde Catherine et rit franchement. Il est nettement de meilleure humeur que tout à l'heure: «O.K. ma belle, on discutera plus tard, dans notre chambre.

Il finit son verre d'un trait. Il s'empresse de le remplir en gardant la bouteille près de lui.

Dans le silence général qui suit, seul le cri aigu d'un oiseau déchire la nuit.

Charlotte sursaute: «Mon Dieu, un engoulevent! Que c'est macabre ce son-là!» Simon sourit: «Voyons Charlotte, c'est seulement plaintif.»

— Tu trouves? Moi, ça me donne des frissons dans le dos.

Et sans plus parler, elle coupe à chacun une beaucoup trop généreuse portion de feuilleté.

28

David, abruti par l'alcool et exténué par l'effort fourni, s'est endormi dans une chaise longue, près de l'orme.

À deux pas, à table, le reste des convives, assis devant leur dessert intact, ont l'air d'avoir été engagés pour faire de la figuration. Catherine joue silencieusement avec la cire molle d'une bougie, Charlotte ramasse inlassablement des particules imaginaires sur la nappe, passant et repassant ses mains nerveuses sur le tissu. Seul Simon est immobile. De temps en temps, il fixe Catherine. Ce regard dérange et inquiète Catherine, elle ne veut ni l'affronter ni savoir ce qu'il contient. Pour la seconde fois depuis le début de cette journée, elle a peur.

C'est Charlotte qui, finalement, à bout, tendue comme une corde, brise le silence. Elle chuchote, les mots chuintent tellement ses lèvres sont serrées: «C'est inconcevable! Jamais, jamais je ne l'ai vu aussi agressif avec toi, Simon. Aussi... aussi désarmé, désespéré.»

Simon murmure, plus fort qu'elle, mais tout de même prudemment: «Désarmé? Je le trouve plutôt blindé, moi.»

— Tu sais aussi bien que moi que c'est de la frime. Tu lui fais peur, Simon. S'il y a quelqu'un qui devrait le savoir, c'est bien toi.

— Cet enfant-là est malade, Charlotte.

— Quoi? Répète! Répète ça une seule fois!

Elle a presque crié, elle le foudroie du regard. Catherine relève brusquement la tête, comme fouettée par les paroles de Simon. Elle parle bas elle aussi: «Qu'est-ce que vous dites, Simon? Est-ce que quelqu'un peut me dire ce qui s'est passé? Qu'est-ce qu'il a dit? Qu'est-ce qu'il a fait?»

C'est Charlotte qui explique, mais Catherine ne regarde que Simon qui, lui aussi, la fixe.

— David était déchaîné. Un peu ivre aussi. Il faut bien le dire, Simon, ça ne lui arrive pas souvent. Il s'est laissé entraîner. Il a traité son père de manipulateur, de séducteur, de, de... bon, tout y était, toute la panoplie, quoi! Il a dit que tu lui échappais, Catherine, que c'était la faute de son père. Bref que Simon est responsable de tous les échecs de la terre, et des siens particulièrement et que, même, c'était son désir profond d'avoir un fils «minable» pour pouvoir mieux régner. Enfin, quelque chose dans ce goût-là. Il a aussi fait allusion à un enfant et à un emploi... je pense qu'il voulait surtout choquer son père, le provoquer. Il faut être fou, Simon, pour dire qu'il est malade. David doit avoir des raisons de parler comme ça, une sorte de justification. Tu dois bien le savoir, Catherine: tu vis avec lui. Pourquoi se conduit-il comme un sauvage déchaîné? Vas-tu nous le dire?

Catherine quitte le regard de Simon et observe Charlotte, raide comme la justice, la bouche séchée sur son dernier mot et qui attend avec une impatience à peine dissimulée. Elle soupire: «Qu'est-ce que vous voulez que je vous dise, Charlotte? Qu'il a raison?»

— Mais, enfin! Il doit bien y avoir un motif. Un enfant ne parle pas sur ce ton-là à son père sans raison. C'était intenable, inimaginable de la part d'un enfant si soumis.

Charlotte se met à pleurer discrètement, dépassée. Elle tamponne ses yeux avec sa serviette de table: «Et je ne te laisserai jamais le traiter de malade, Simon. C'est à croire qu'il avait raison de t'accuser, d'avoir peur de ton pouvoir sur lui.»

— Charlotte, cet enfant-là vient de nous faire une crise de paranoïa aiguë. Je ne dis pas qu'il est malade pour le reste de ses jours, ni qu'il n'a pas de raison de l'être, je dis que sa réaction est excessive et dangereuse. Et qu'il ne faut pas que Catherine et Julien soient à portée de sa main.

— Vraiment! C'est toi qui es fou, Simon! Tu délires, ma foi! Jamais il ne touchera à un cheveu de Catherine, il l'aime beaucoup trop, il l'idolâtre. Quant à Julien, l'idée est encore plus grotesque! D'ailleurs, Catherine peut le protéger. Mais dis quelque chose, Catherine! Aide-moi!

—Je vous ai menti tantôt, Charlotte... la

blessure que j'ai à la bouche, ce n'est pas Julien, c'est David qui me l'a faite. Ce matin, dans le bois. Il m'a sauté dessus et m'a mordue. Au sang.

Incrédule, Charlotte fixe Catherine: «Mais!... Tu, tu l'avais provoqué, non? Vous vous étiez disputés? Il ne t'a pas sauté dessus sans raison? Sans rien dire?»

— Non. C'est vrai, on s'est disputés.

— Bon! Me semblait bien aussi!

Et elle se replace sur sa chaise, soulagée, calmée. Simon en est révolté: «Il te semblait bien quoi? Tu trouves ça normal de voir ton fils sauter sur sa femme et la mordre au sang parce qu'ils se sont disputés? Tout est normal? Tout s'explique? Ça va mieux, pas de problème, Charlotte?»

— Simon ne me fais pas dire ce que je ne devrais pas dire. Ils ont eu une chicane de ménage et David a perdu le contrôle. C'est pour ça qu'il s'est laissé aller à boire ce soir et à dire toutes les stupidités excessives qu'il a dites. Ça peut arriver, non? Même à ton fils, non? Et ne parle pas si fort!

Catherine brise à nouveau le silence qui s'est installé dans une tension épaisse: «Charlotte, je vais partir. Je vais quitter David. C'est fini, notre mariage.»

Simon est tellement rigide qu'elle entend presque son cœur battre. Elle ne veut pas, ne peut pas le regarder, pas maintenant. Elle voit Charlotte déglutir péniblement. «Comme son fils», pense-t-elle. Charlotte qui sourit tout à coup, onctueuse.

— Ma pauvre chérie, il faut pas croire que ça va toujours être comme aujourd'hui. C'est une période difficile, je te l'accorde, David a des torts, c'est sûr, mais c'est loin d'être une raison pour se séparer. Il faut plus de courage que ça dans la vie. Plus de persévérance. Tu ne penses pas à Julien, en ce moment? Et David? Ça va le rendre fou. Est-ce qu'il connaît tes intentions? C'est peut-être pour ça qu'il est si...

— Charlotte, c'est fini, c'est inutile. C'est notre mariage qui va rendre David fou, pas notre séparation. C'est ça qui le rend malade. On sait tous les deux que c'est fini et on n'en parle pas, on fuit.

— Si c'est trois petits mois d'abstinence qui te font conclure que c'est fini... ça ne te prend pas grand-chose, ma pauvre chérie.

— Trois mois?

Il y a comme un sarcasme dans le murmure de Catherine. Mais Charlotte est sourde à la nuance, trop fière de pouvoir brandir son argument: «David s'est confié à nous, qu'est-ce que tu penses? Tu dois bien avoir deux-trois petites choses à te reprocher dans cette histoire, non? Est-ce qu'il y a quelqu'un d'autre? Est-ce que David le sait, s'en doute? Ce n'est certainement pas David qui t'a trompée! Alors...

Simon se lève: «Charlotte! Je t'en prie, c'est indécent!»

— Comment? Qu'est-ce qui est indécent? Catherine nous dit pratiquement que David est fou, qu'il n'a pas tous ses moyens et tu es prêt à lui donner raison sans discuter? Alors qu'il n'arrive pas à l'attraper pour faire l'amour depuis trois mois? Et que, de son propre aveu, ça le désespère, ça le rend inquiet? Qu'est-ce qu'il y a d'indécent à demander à sa femme de s'expliquer? Si David l'a mordue parce qu'elle est allée avec un autre homme, je ne vois rien là que de très normal. C'est le contraire qui ne le serait pas. Et ce qu'on a vu ce soir n'est que l'expression d'une crise de jalousie pure et simple. J'ignore pourquoi c'est tombé sur toi, Simon, mais David a l'air de se croire menacé par toi. Mais s'il y a un autre homme dans la vie de Ca...

— Oui. Oui Charlotte, il y a un autre homme.

Catherine a jeté son aveu comme on tire un os à un chien enragé. Charlotte se rue dessus avec avidité. Simon, dégoûté, voit le plaisir de la victoire gagner le visage de Charlotte. Il se tourne vers Catherine. Ses yeux sont d'une tristesse infinie. Lentement, à mesure que Catherine parle, il passe de l'autre côté de la table et vient s'asseoir près d'elle. C'est plus fort que lui, pour au moins lui donner son appui physique. Faire face à Charlotte ensemble, même s'il sait que Catherine va prendre tout l'odieux toute seule. Charlotte exulte à mi-voix, frémissante d'excitation: «Bon! Tu vois Simon? Je le savais bien! Je le savais que c'était quelque chose dans ce goût-là! À quoi as-tu pensé, Catherine? Tu aurais pu tuer David. Il est tellement sensible. Comment peux-tu...»

— Il ne le sait pas. Il ne s'en doute pas. C'est seulement l'expression de notre mariage fini, rien d'autre.

— Mais tu couches avec l'autre? Tu trompes David?

Ces yeux, cette bouche presque obscènes de sous-entendus, de confirmation malveillante,

Catherine voudrait s'enfuir au bout du monde plutôt que d'avoir à se battre contre la haine de Charlotte qui fait surface comme une tonne de boue qui jaillit de l'eau épaisse.

— Non, Charlotte, non, je ne couche avec personne, je ne trompe personne d'autre que moi-même et David ne peut rien me reprocher. J'ai envie d'un autre homme, ce qui n'est pas la même chose. Je ne suis allée coucher avec personne, je vous le dis même si ça ne vous concerne pas. Je n'ai jamais rien fait que David ou vous puissiez me reprocher. Rien.

— Sauf que tu t'es éloignée de lui. Sauf que tu refuses de faire l'amour avec lui depuis trois mois!

Simon, au supplice, ne peut s'empêcher de rectifier: «Charlotte, c'est David qui dit ça.»

— Essaye donc de le démentir, Catherine. Veux-tu que je le réveille? Veux-tu qu'il le confirme lui-même devant toi?

— Ah oui! Ça ne serait pas cruel peut-être de le réveiller pour l'humilier devant moi, lui faire répéter son mensonge, comme un enfant coincé? Vous dites que je suis inconsciente... Mais vous êtes prête à le réveiller pour le plaisir de me prendre en défaut! Quelle sorte de femme êtes-vous? Qu'est-ce que vous voulez? Que je l'aime, que je le respecte? C'est fini, Charlotte. Fini. Je ne l'aime plus. Il faudrait quand même réussir à sauvegarder le respect. Pour Julien si ce n'est pas pour nous. Comme vous voyez, je pense à mon fils aussi.

— Oui, oui: tu vas te précipiter dans les bras d'un autre homme la conscience tranquille, sûre de ton bon droit, de tes atouts majeurs. Et tu vas réussir à te faire accroire que tu penses à Julien? Tu es une égoïste, une putain qui ne pense qu'à son plaisir, son petit plaisir physique, son petit plaisir minable. Une femme facile qui n'élèvera pas mon petit-fils certain!

— Charlotte! Tais-toi, tu dis n'importe quoi! Que Catherine aime quelqu'un d'autre ou non, ça ne nous regarde pas. Si elle trouve que son mariage est terminé, ça ne nous regarde pas non plus. C'est elle qui vit avec David. C'est elle qui peut tirer ses propres conclusions.

— J'ai quand même vécu avec mon fils pendant près de vingt-cinq ans et je sais une chose: je ne l'ai jamais poussé assez à bout pour qu'il en vienne à me mordre. Même quand il était petit. Et je ne l'ai jamais vu boire comme ce soir, jamais vu aussi triste, aussi désespéré.

— Ni aussi violent Charlotte, ni aussi vindicatif, ni aussi injuste et de mauvaise foi. Avoue au moins ça, Charlotte!

— C'est la douleur! C'est seulement la douleur. Ça va passer. C'est un doux, un tendre, un enfant qui ne ferait pas de mal à une mouche. Il n'a jamais dit un mot plus haut que l'autre, tu le sais, Simon.

— Il aurait dû! Il en a trop gardé pour lui durant toutes ces années. Le procès de ce soir, Charlotte, c'était celui de toute une vie, pas seulement celui de trois ans de mariage. Tu le sais très bien.

— Tu ne lui pardonnes pas, c'est ça? Tu ne lui pardonnes pas ce qu'il a dit et c'est pour ça que tu prends sa défense à elle? Juste parce qu'il est allé trop loin ce soir?

— Charlotte, ça ne sert à rien d'accuser ni Catherine, ni David. C'est comme ça, c'est tout. Il faut l'accepter. Catherine nous dit que leur couple est fini. David a l'air désespéré; à quoi, à qui ça servirait de trouver une responsabilité, une culpabilité? À rien, Charlotte.

— Mais il y a un autre homme! Elle l'a avoué. Tu as entendu aussi bien que moi, Simon!

Catherine, d'une voix posée, reprend son explication: «J'ai dit, Charlotte, que le fait de désirer quelqu'un d'autre signifie bien que mon mariage est fini. C'est une conséquence, pas une cause.»

— Peu importe, c'est ce qui fait souffrir mon fils et ça, je ne pourrai jamais le supporter, ni le pardonner.

— On ne vous demande pas de pardonner, Charlotte. Et puis, s'il y a un concours pour déterminer qui souffre le plus, je suis prête à laisser la palme à David. Mais il y a une chose que je veux vous dire: David va se battre, se débattre pour ne pas se séparer, parce qu'il voit ça comme un échec irréparable. Si vous pouvez l'aider, c'est en essayant de voir notre séparation comme une nécessité et non pas comme un échec.

— C'est ça, vas-y donc, ma belle! Tant qu'à y être, accuse-moi donc d'empirer les choses. Il s'agit que je prenne la défense de notre fils pour te rendre méfiante à ce que je vois. Il n'y a rien qui va me détourner du bien de mon fils. Et ce n'est certainement pas parce que je trouve ce mariage parfait! Dieu sait si j'ai discuté avant que ça se fasse. Dieu sait si je n'étais pas entièrement d'accord. Mais j'ai toujours fait bonne figure, Catherine, ça tu ne peux pas dire. Mais ne me demande pas de t'aider à faire souffrir mon fils. Ça, jamais. Jamais! S'il n'y a plus qu'une personne au monde pour l'aider, le protéger, prendre sa défense, ce sera moi.

— Charlotte, tu dis n'importe quoi! Ce que demande Catherine est raisonnable, sensé: tenter de faire comprendre à David que la séparation n'est pas un échec. Ce n'est pas le trahir, ça.

— Mais *c'est* un échec! Qu'est-ce qu'elle pense? Pourquoi mentir encore? Faire semblant? Pourquoi? C'est un échec pour lui et c'est ce qui est vrai. On n'a pas à discuter là-dessus, ni à faire semblant du contraire. Tu aimes un autre homme et tu veux te séparer pour le rejoindre, Catherine. C'est ton droit, je suppose. Tu as probablement tes raisons, je ne veux pas les connaître. Mais tu n'auras jamais la garde de Julien. Tant que je serai en vie, je ne laisserai jamais la garde de Julien à une putain qui préfère ses saloperies à l'amour loyal de son mari. Tu avais un mari merveilleux et tu serais prête à le rendre fou seulement pour te justifier d'être une moins que rien. Tu ne me feras pas prendre des vessies pour des lanternes: les petites arrivistes comme toi, on les connaît. J'en ai vu des douzaines tourner autour de mon fils. Tu n'auras ni enfant ni pension, tu t'arrangeras toute seule avec tes problèmes. Tu te trouveras un autre homme quand celui-là va te laisser quand il va s'apercevoir de la sorte de femme que tu es. Mais tu n'auras pas un sou de nous. Pas un!

—Je n'ai pas besoin de votre argent, Charlotte.

Je fais autant sinon plus d'argent que David. Je n'ai besoin ni de votre argent, ni de votre estime. J'ai besoin d'avoir la paix et je ne sais vraiment pas ce que vous avez à me traiter de putain. Il faut que vous soyez complètement dérangée pour me dire ça. Je n'ai jamais trompé David, je n'ai jamais rien eu à me reprocher et je vous demanderais de bien vouloir vous mêler de vos affaires. Je ne vous ai demandé ni argent ni pitié. Et Julien est mon fils, que ça vous convienne ou non. Et son père et moi sommes encore ses parents. Et s'il y a quelqu'un de fou ici, je ne suis pas sûre que ce ne soit pas vous, Charlotte. Votre grand amour de mère vous aveugle. Vous allez protéger David de quoi? De qui? De l'impureté que je représente? Des saloperies que je peux lui montrer? Les saloperies, comme vous dites, l'idée même de la saloperie du sexe, c'est ce qui empêche votre cher enfant de faire l'amour. Il est tellement sûr de vous désobéir, de vous échapper qu'il n'ose même pas bander de peur d'être puni, de peur d'éprouver du plaisir, de peur que le plaisir lui explose en pleine face comme un cadeau piégé. Alors, gardez vos salopes pour vous! J'en ai assez de vivre avec des gens qui considèrent l'amour comme une saleté et la saloperie comme de l'amour. Qu'est-ce que vous savez de l'amour, Charlotte? Qu'est-ce que vous pouvez prétendre savoir du corps, du plaisir? Je suis peut-être un monstre d'égoïsme comme vous dites parce que je refuse de passer ma vie à détester l'homme avec lequel je vis et à torturer mon enfant parce que je ne sais plus comment me sortir de mes problèmes. Mais mon fils est encore normal et je vais tout faire pour qu'il le demeure. Même me séparer, même l'éloigner de son père. Et, si possible, l'éloigner de vous, Charlotte.

Blême de rage, presque ratatinée de haine, Charlotte s'agrippe à la nappe blanche comme à une bouée. Ses bagues soulignent les rides de ses mains; les veines se gonflent, leur donnent l'aspect de serres. Elle siffle plus qu'elle n'articule: «Dis quelque chose, Simon. Vas-tu la laisser nous insulter comme ça? Une petite grue comme elle!»

—Je pense qu'on est tous allés trop loin, Charlotte. Je pense que Catherine et toi êtes trop secouées pour discuter de David ce soir... on va rentrer. Je vais coucher David et on en reparlera demain, à tête reposée. D'accord, Catherine?

— Pas d'accord!

C'est Charlotte qui, tremblante, s'est levée. Charlotte qui fixe Catherine et Simon: «Je veux des excuses. Tout de suite. Des excuses en bonne et due forme, Catherine.»

— Les voulez-vous signées, Charlotte?

— Petite putain! Petite garce! Ton père peut bien être commis-voyageur! Un peddleur, un vendeur de cochonneries.

—Je pense, Charlotte, que vous êtes une femme beaucoup trop bien élevée pour vous rabaisser à dire des choses pareilles. Ça arrive que les insultes humilient seulement celui qui les prononce vous savez.

Troublée, Charlotte lève des yeux de noyée vers Simon. Il vient vers elle et lui dit doucement: «Viens, viens maintenant, on va rentrer.»

Et ce regard, ce regard de fière victoire qu'elle lance à Catherine avant de partir au bras de Simon est la plus profonde blessure qu'elle peut infliger à son adversaire.

Sans même le savoir.

Catherine les regarde s'éloigner doucement, monter sur la terrasse. Elle voit la maison énorme, confortable, si bourgeoise dans la nuit lourde.

Simon... qui doit aider cette femme, la secourir de peur qu'elle n'en vienne à soupçonner la vérité. Simon qui la laisse là, au milieu du jardin, à côté de cet enfant brisé qui peut la tuer parce qu'elle le tue. Simon qui fait entrer Charlotte et se tourne vers elle et la regarde. Elle devine l'angoisse de Simon plus qu'elle ne la voit. Oui, oui, elle va l'attendre.

Dehors, dans le noir, assise à une table souillée par un repas de fête raté.

À sa place, quoi!

29

«Il faut trouver cet homme-là, ramasser des preuves, établir un dossier. T'as vu, Simon? T'as vu comment elle était déterminée, méchante? Elle nous en veut, elle nous en a toujours voulu. Elle n'accepte pas notre standing, notre vie, nos choix. Elle va pourrir Julien si on lui laisse. T'as vu ce qu'elle a fait de David? Mon Dieu, notre pauvre enfant! Si j'avais su... j'aurais dû tenir bon, aussi, j'aurais dû m'entêter contre vous deux, empêcher ce mariage. Tu n'as rien vu, toi. Rien. Tu n'as aucun discernement pour les êtres humains. Même ce soir, tu étais incapable de lui répondre, de la remettre à sa place. Je ne vois pas ce que ton fils a tant à te reprocher ton autorité! Ce n'est pas ce soir que tu en as abusé, en tout cas. Pourquoi l'as-tu laissée me parler sur ce ton-là? Me dire des choses aussi affreuses, abominables. Déjà qu'elle vient briser mon fils, le rendre à moitié fou, elle m'accuse en plus. Qu'est-ce qui lui faut? Qu'on la bénisse de venir nous faire du mal? Qu'on la remercie peut-être? Et elle a le culot de m'accuser de leurs problèmes sexuels! Une putain pareille! Quand je pense que David était obligé de lui faire l'amour. Je les ai entendus, tu sais, je les ai assez entendus à côté dans leur chambre. Veux-tu que je te dise? Ça va être dur à passer pour David, ça va être pénible, mais au bout du compte, ça va être une bonne chose. Ça va le soulager. Une fois la peine passée, il va se rendre compte que c'était vraiment pas une femme pour lui. Au début on va le reprendre chez nous. On engagera quelqu'un pour s'occuper de Julien, je vais alléger un peu mon horaire à l'hôpital, m'arranger pour être plus souvent à la maison et on va le remettre sur pied, notre fils. Avec Julien pour nous aider, ça devrait être faisable. Qu'est-ce que tu en penses? Une petite vie tranquille, heureuse comme avant, avec Julien pour nous rappeler David quand il était petit? Il lui ressemble tellement! Heureusement, il n'a rien d'elle. Heureusement! Pourvu que David ne déprime pas trop. Pourvu qu'il accepte cette histoire comme un «act of God», une sorte de malheur imprévisible. Comme un accident de la route... Penses-tu qu'il va se sentir coupable d'un échec? Penses-tu qu'on peut faire quelque chose pour l'aider à surmonter sa culpabilité? Oh, mon Dieu... que je suis épuisée. Dis quelque chose, Simon!»

Elle s'est assise sur le lit, dans leur chambre, elle a retiré ses souliers et déboutonne son chemisier. Elle prend sa robe de nuit dans son sac de voyage par terre. Simon la regarde, étonné d'avoir pu supporter autant d'années une épouse qui a pourtant dû déjà lui parler comme ça. Ce n'est pas dû qu'à l'émotion, cette intolérance, cette mesquinerie, cette étroitesse de vue. «Elle a raison, je n'ai aucun discernement», pense Simon, totalement paralysé par la sécheresse de sentiment qui l'habite. Il n'est qu'une immense sensation de dégoût, de lassitude. Il se demande jusqu'où on peut aller par simple orgueil, par simple impuissance humaine. Cette femme... sa femme. Cette femme dure, exigeante, impitoyable. Cette femme le tuerait si elle savait seulement que l'homme à traquer c'est lui. Et, bien sûr, cette femme l'aime. Comme elle aime son fils, son petit-fils, le beau, le bon, la vertu et la vérité lorsque celle-ci l'accommode. Bien sûr... le monde entier est peuplé de monstres qui ne cherchent qu'à oublier, ignorer qu'ils ne sont ni tout-puissants, ni éternels. L'horrible prétention de ceux qui se sentent exclus de la médiocrité quasi par choix divin, par désignation surnaturelle. Et cette femme fait partie de cette élite. Cette femme, sa femme, convaincue de son bon droit, de détenir une inaliénable avance sur les autres, la racaille des moindres, les minables et malades. La populace qu'elle soigne avec ses ongles impeccables et cette petite distance qu'elle sait établir, sans effort, entre le malsain et le pur. Le sain et le pourri. Ce cœur intact, intègre de Charlotte qui ne sait se battre que pour le juste, désigné par une loi préétablie à son usage dans un au-delà tout-puissant. La maléfique race des gagnants!

Il revoit Sally sur son lit de mort. Sally, morte à trente-huit ans au lieu de trente-sept. Sally et ses yeux clairs, si livides de trop de vérité. Sally qui supplie son mari de l'aider à protéger leur enfant, leur lien, leur vitalité, ce qui reste de vivant en elle. Et cette femme qui est sa femme et son sourire entendu et sa méchante bonne foi et sa sainte certitude qu'une malade si atteinte, si souffrante, ne peut pas avoir d'avis clairvoyant. Cette femme que le doute n'a jamais effleurée et qui exhibe un orgueil qu'aucune douleur n'a jamais rabattu, plié, qu'aucune compassion n'a jamais réussi à suborner, corrompre... Un orgueil impitoyable qui lui tient lieu de sentiment. Cette femme a péremptoirement décidé de «sauver» Sally. Elle lui a offert six mois de martyre sur un plateau d'argent. Un enfer moral pour remplacer un enfer physique. Six mois payés comptant par un bébé de presque six mois. Sans sourciller, sans frémir, sans aucun doute! La signature de Sally arrachée au nom du bon sens, du rationnel.

Simon sait bien maintenant que le jour où Sally s'est retrouvée le ventre vide, et qu'elle lui a dit: «Ils l'ont tuée, n'est-ce pas? Ils ont tué ma petite fille de rien?» Simon sait qu'en faisant oui de la tête tout en tenant sa main maigre, il sait que ce jour-là, il a haï sa femme.

Et que depuis ce jour, il n'a cessé de la haïr. Dix ans. Dix ans à s'enfoncer dans le silence, le renoncement à soi. Dix ans à se tromper. Dix ans à ne plus parler de ce qui le hante, l'angoisse, l'obsède: son travail, ses malades, ceux qu'il aime et respecte parce qu'eux se sont frottés à l'échec, à l'humilité obligée et qu'eux, dans leur souffrance, leur solitude infinie, leur déréliction, eux seuls ont su lui apprendre quelque chose sur la vie, sur lui-même. Ce n'est pas toujours la vérité, mais c'est toujours humain. Et c'est toujours, toujours la voie de l'infinie miséricorde.

Il n'y a pas de Dieu, il n'y a jamais cru. Il n'y a que des êtres souffrants et si marqués de se savoir faillibles, humiliés, désenchantés. Et si brisés. Des humains qui rêvent à un Dieu, qui s'imaginent voler vers l'absolu et qui s'accrochent les pieds dans leur impuissance d'humains. Des humains qui, le front écrasé sur la terre caillouteuse implorent encore pour un peu de sacré, un peu de divin.

Il n'y a pas de Dieu. Cette terre grouille d'humains désespérés du choc de leurs désirs contre la vacuité du ciel. L'insupportable creux que la mer laisse en se retirant du ventre des humains. L'abîme qui se forme entre leurs yeux et l'horizon au loin, trop loin. Il n'y a ni Dieu, ni justice, rien d'autre que cette misère de vie et cette âpreté à la garder, la préserver du pire: son extinction totale. La fin du jour, la chute infinie au cœur du néant. La fin de tout ce qui bat et se débat et court, effréné, terrorisé, vers son plus petit, son plus mince, vers sa fin solitaire dans la faible lumière.

Depuis dix ans, Simon n'a plus de réels rapports qu'avec des gens qui vont mourir et ceux qui les accompagnent plus ou moins humainement sur cette route desséchée. Avec quelquefois, rarement mais c'est comme un baume sur l'aride chemin, quelquefois une étincelle de réelle bonté. De celle qui n'attend rien et sait tout de sa totale insuffisance. Et sa femme est de ceux qui refusent de marcher sur cette route. Et sa femme, depuis dix ans, est l'ennemie de ce pour quoi il lutte férocement: un peu de respect pour le pauvre être humain qui crie sous la carcasse de ses chairs et de ses os. Un peu d'amour, même pauvre, même mutilé d'horreur et de regret, pour cette dépouille qu'est le corps massacré par la maladie.

Mais la pitié est un sentiment condamnable pour Charlotte. Il y a des vainqueurs qui ne mesurent même pas la dimension de l'échec potentiel tant il est inimaginable, éloigné de leur champ visuel, des probabilités. Et Charlotte est de ceux-là. Charlotte qui a lutté toute sa vie pour devenir le parfait médecin qu'elle est, avant toutes les autres, sur la ligne de feu des combats féministes, envers et contre ces hommes si vigilants de leurs privilèges. Charlotte qui s'est battue comme un homme et qui est devenue vigilante de ses privilèges, comme un homme. Un patient qui meurt demeure un déshonneur, une mauvaise note pour la gloriole de Charlotte. Comme David, Charlotte aura, toute sa vie, besoin de preuves pour assurer une supériorité hautement proclamée. Une supériorité si effritée qu'elle ignore même ses failles.

La seule force constitue donc à se reconnaître faible, pense Simon qui, du coup, renonce à en convaincre Charlotte. Il devra donc se battre contre les faibles-forts. Ceux qui sont invincibles et devant qui la mort même recule!

Cette femme qui négocie chaque jour avec la mort n'a même pas encore entrevu sa possibilité, ne l'a jamais vue, regardée, considérée. La mort n'existe pas pour Charlotte. Au même titre que l'échec. La mort est un leurre, l'objet d'un combat, mais elle n'existe pas vraiment. Comme Dieu n'existe pas pour lui.

— Dis quelque chose!

Elle hurle maintenant, défaite, défigurée, grotesque d'anxiété. L'inquiétude, la solitude amère des gagnants qui sablent seuls le champagne tiède de la victoire. Faut-il avoir pitié de Charlotte aussi et de sa superbe inconscience?

— Je ne sais pas, Charlotte. Il faut attendre, voir ce que David veut. Il faut essayer de se calmer.

— Ça ne te fait rien, on dirait. Tu t'en fous! L'aimes-tu au moins? L'aimes-tu un peu ce pauvre enfant?

— Charlotte, ne sois pas ridicule. Il est tard. Je vais essayer de coucher David et ranger un peu. Demain, on verra.

— Je vais t'aider.

Elle est debout, enfile sa robe de chambre.

— Non, laisse faire, je vais le chercher moi-même.

— Ne la laisse pas y toucher, tu m'entends? Elle lui a assez fait de mal comme ça. Ne la laisse pas faire!

— Charlotte, n'exagère pas, veux-tu? Catherine n'a rien fait de mal.

— Mais qu'est-ce qu'il te faut, pour l'amour? Qu'elle arrive ici avec l'autre? Qu'elle tue David? Julien? Qu'est-ce que ça te prend pour la voir comme elle est: une petite garce égoïste!

— Tais-toi! Ça suffit! J'en ai assez! Je ne veux plus entendre un mot, tu entends? Tais-toi!

Il a presque crié. Charlotte se rassoit, mal à l'aise: «Excuse-moi, Simon. Va le chercher, je vais t'attendre ici.»

Simon sort de la chambre en claquant la porte. S'il avait pu, il l'aurait frappée. Au sang, férocement. Parce que c'est difficile de faire face à un mensonge de dix ans, à un abus de soi presque consenti. Parce que c'est difficile de voir ce mensonge retirer son voile et de savoir que, sous ce voile, il aurait pu parfaitement voir.

Simon n'en veut qu'à lui-même, à sa lâcheté, à son désir phénoménal d'hypocrisie, de mensonge et de fausse paix.

Il sait que cette formidable mystification à laquelle il a collaboré est une partie du mal de son fils. Et, pour la première fois de sa vie, il pense qu'il commence maintenant à aimer son fils.

Avec cette petite dose d'impuissance qui qualifie pour lui les rapports humains profonds. Ceux qui n'ignorent ni la mort ni le dérisoire effort pour la faire reculer.

30

Dans le jardin, il voit deux taches blanches: la nappe et Catherine. Deux points lumineux dans la nuit. Les bougies et les lampes éteintes, seule la lune laiteuse éclaire le parc.

Simon s'approche lentement, le cœur battant: que peut-il dire maintenant à cette femme impassible qui, assise, ne semble rien attendre qu'un peu de paix? Dans son dos droit, dans ses épaules il revoit encore le courage d'Elsa Carrigan. Cette terrible détermination lucide que, contrairement à l'acharnement aveugle, certaines personnes brandissent devant l'inexorable. Les humains demeurés humains. Ceux qui ne transigent pas avec l'hypocrisie parce que trop blessés pour pouvoir fournir à une quelconque comédie. Les humains demeurés humains qui le feraient sangloter pendant des heures. Leur dignité si loin de sa pauvre lâcheté.

Catherine... la seule femme qu'il ait vraiment aimée parce que la seule qu'il ait aimée en sachant qui il était.

Il s'accroupit devant elle, dans l'herbe. Ses yeux sombres le scrutent, font l'inventaire muet de sa douleur, de ses impossibles.

Il ne veut rien lui demander, rien exiger d'elle, comment oserait-il? Et pourtant, il a un tel besoin de son amour qu'il doit reconnaître qu'il implore encore. Un peu de temps. Comme tous les mourants, il implore encore un peu de temps. Même silencieux, même rempli de l'écho de l'inévitable, même hurlant de terreur, un peu de temps encore.

Pour se faire à l'inacceptable, l'inimaginable. La fin d'un amour, la fin d'une vie. Il y a un son si semblable dans ces deux défaites... Pourquoi tant vivre si c'est pour en mourir?

Un vent léger et chaud se lève. Un vent d'orage qui fait bruire les arbres, qui soulève la nappe, couche les roses. Il voit ses cheveux bouger, chatouiller ses yeux, son front. Il voit ses yeux s'embuer, briller de larmes.

Elle se penche vers lui, les bras croisés autour de ses genoux, tout près de lui, sans le toucher. Ils se tiennent longtemps un devant l'autre, dans l'amour qu'ils éprouvent.

Ils ne disent rien. Seulement cet amour aussi désespéré que cette nuit, qu'ils s'accordent le temps de le reconnaître dans l'autre, de le sortir du trou sombre de l'inconscience, de le mettre au monde pour qu'il puisse vivre et mourir.

Longtemps, longtemps après cette longue reconnaissance, ce pèlerinage immobile, Catherine murmure: «Il y a Sally, dont vous ne m'avez jamais parlé.»

— Sally...

Un long temps suit l'évocation de Sally. Puis, Simon parle, sans hâte, presque péniblement. Parce qu'il a envie de dire la vérité à Catherine. La lui dire pour l'apprendre lui-même.

— Il y a des gens qui nous en apprennent plus sur nous-mêmes que l'ensemble de notre vie. Sally... Sally est celle qui m'a appris. Mais je ne voulais pas apprendre. Je résistais beaucoup. J'avais travaillé, étudié, je m'étais spécialisé à cinquante ans pour devenir bioéthicien, mais je ne voulais pas savoir pourquoi. Je suis un ignorant qui pense tout savoir, Catherine, la pire sorte. Sally, elle, à trente-sept ans, en savait beaucoup plus que moi. Elle savait même que j'avais le temps, le temps d'apprendre. Elle me trouvait lent et disait que je possédais le luxe de pouvoir lambiner. Mais elle savait que c'était inévitable, qu'un jour ou l'autre, j'aurais à négocier avec la vérité, la mienne. Quand j'ai connu Sally, elle était déjà très atteinte et très, comment dire, presque sereine même si elle était vivante. Je veux dire une vraie vivante, même si elle acceptait l'idée de mourir; vivante et vivace. Elle avait une lucidité indulgente, sans révolte, sans hargne. Une sorte de connaissance supérieure que la fréquentation de la mort donne à quelques-uns. Ça choquait beaucoup Charlotte. Elle disait que c'était de l'agressivité déguisée, de la répression sourde de la part de Sally, de la non-confiance. Sally ne partageait absolument pas le désir de foi de Charlotte. Pas de foi aveugle, disait-elle. C'est ce que Charlotte appelait «l'envie suicidaire de la patiente». Sally tablait sur du solide:

son bébé vivant et sa mort prochaine. Dans cet ordre. Elle était certaine d'attendre une fille, et sa fille était sa foi; sa raison de vivre et de mourir. Elle savait très bien qu'une fois le bébé né elle mourrait. Elle savait même que cette grossesse la tuait. Mais elle avait tout misé sur cet enfant: c'était ce qui l'avait sauvée du désespoir. C'était, paradoxalement, ce qui donnait toute sa valeur à sa vie *et* à sa mort. Sans histoire, sans éclat, elle avait choisi et supportait sans se plaindre une douleur effroyable. Sans supplier pour d'autres délais que celui de la naissance de son enfant. Et cela, Charlotte ne l'acceptait pas. Profondément, viscéralement. Pour elle, cette grossesse était l'insulte suprême.

Sally m'avait dit que ma femme allait s'opposer à moi, me combattre, me défier à travers elle. Et elle avait raison. Sally m'a même dit que c'était parce que Charlotte ne me pardonnait pas d'être passé dans l'autre camp, celui des déçus, des défaits, des vaincus. Celui de ceux qui acceptaient de transiger avec la mort, avec l'ennemi. Charlotte voyait dans ma nouvelle vocation une menace terrible pour elle-même et pour notre union. Sally me disait ça avec une sorte de sourire, un humour bizarre, comme en guettant ce que ça me faisait, ce que ça provoquait.

Étrangement, je la croyais sans la croire. Je veux dire que j'apprenais sans vouloir savoir. Comme un ignare. Comme quelqu'un qui a du temps devant lui, aurait dit Sally généreusement. Mais je n'ai jamais voulu savoir que je désirais quitter Charlotte. Jamais, même quand je le faisais à ma manière. Je n'ai jamais voulu connaître ce que mes actes signifaient. Je n'ai jamais accepté la vraie responsabilité.

Mais j'ai promis à Sally: je lui ai promis de l'aider à défendre sa position, à préserver son enfant malgré tout. Je lui ai promis qu'elle obtiendrait ses choix et l'ordre de ses choix: aucun acharnement à la prolonger, un seul acharnement, celui qui permettrait de sauver sa petite fille.

Mais c'était sans compter sur l'évolution de son cancer, la terrible douleur et la persistance de Charlotte. C'était sans compter sur l'attitude de son mari. Elle avait eu l'honnêteté de m'avertir que ce serait difficile parce que les adversaires de son désir étaient son mari, ma femme et le bon sens. Encore une fois, elle avait raison.

Elle a signé, à bout de souffrance. J'ai envie de dire sous la torture combinée de la douleur et du discours de son mari. Et je n'ai pas pu l'aider. Ni à se pardonner d'avoir signé, ni à résister aux pressions qui lui étaient faites. Et elle ne m'en a même pas voulu. Son indulgence était ma pire punition, comme si je l'avais doublement trahie, trompée. Je ne pouvais rien pour elle, même pas la soulager de son terrible sentiment d'impuissance.

Les six derniers mois ont été horribles, elle souffrait moralement d'une telle solitude! L'abandon de son mari a été un deuil épouvantable pour elle. La mort du bébé, c'est dans le refus de son mari, son rejet total de ses choix qu'elle l'a vécue. Je sais bien qu'il était désespéré et que, pour qu'elle accepte d'être traitée, il aurait dit n'importe quoi. Et c'est ce qu'il a fait: il lui a dit qu'elle avait abusé de lui et qu'il ne voulait pas de cet enfant sans elle. Je sais qu'à travers lui c'est Charlotte qui parlait. En signant, Sally a consenti à la fin de son combat, mais aussi à celle de son mariage. Elle signait la mort d'un amour tel qu'elle l'avait vécu, tel qu'elle avait cru pouvoir le vivre jusqu'à la fin. Elle disait que, pour son mari, c'était un aveu implicite de son incapacité de l'aimer jusque dans cet enfant. Elle disait que demander à un homme d'aimer une mourante, c'était beaucoup demander. Elle avait cru pouvoir lui faire cette demande. Elle avait eu l'humilité terrible de la faire. C'était énorme. *C'est* énorme de demander l'amour de quelqu'un en sachant qu'on va lui faire défaut. Et je savais que Charlotte avait milité fort du côté du mari pour le convaincre. Et Charlotte ne se battait que pour elle-même, pour gagner, pour avoir raison contre moi. Pour satisfaire son petit orgueil égoïste. Je sais très bien que jamais elle n'a considéré Sally, le bien réel, profond de Sally. Jamais. Même si soulager la douleur pouvait avoir l'air de s'en soucier. Et Sally le savait aussi.

En acceptant que je devienne son allié, Sally savait que Charlotte ferait sur elle, sur son dos, sur sa vie et celle de son enfant, sa lutte personnelle contre mes nouveaux choix. Et elle n'a pas choisi de m'éloigner. Parce qu'elle voulait m'aider. M'aider à devenir un homme responsable, un homme humain, je crois. Mais c'est elle qui a payé. C'est elle que Charlotte a massacrée en lui enlevant même son mari. La défection de son mari, son consentement à la mort du bébé, c'était beaucoup plus grave pour

Sally que n'importe quoi d'autre. Comme si sa mort ne servait à rien pour cet homme-là, même pas à apprendre. Et Charlotte le savait. Charlotte avait, a, un instinct de femme jalouse implacable. Elle a puni Sally en lui retirant son mari. Elle l'a punie d'avoir une influence, une sorte d'ascendant émotif sur moi. Et je ne me suis plus jamais occupé d'un patient que Charlotte traitait. Ça, au moins, je l'avais compris.

Sally est morte dans une solitude totale. Dans une souffrance limitée, parce qu'on pouvait contrôler la souffrance physique, mais dans un isolement moral effroyable. Elle m'a regardé et a encore une fois murmuré ce qu'elle ne cessait de me répéter: «Allez-vous vous pardonner de n'être rien qu'un homme? Pas plus, pas moins? Allez-vous vous pardonner un jour, Simon?»

Elle m'a demandé de prendre ses mains et de les mettre sur mon cœur pour qu'elle entende encore un cœur battre. Un cœur humain... Je l'ai fait. Elle a souri, elle a fermé ses mains comme pour serrer quelque chose, elle a fait non doucement et elle les a laissées retomber. Je savais qu'elle mourait, qu'elle y consentait et je lui ai demandé d'attendre ses parents qui s'en venaient, qu'on avait fait appeler. Elle a encore ouvert les yeux, je savais qu'elle m'avait entendu, compris. Elle a encore souri et elle a ouvert ses mains, simplement. Comme si la vie était un objet qu'elle tenait et qu'elle avait laissé échapper, comme si c'était une petite balle qu'on laisse rouler hors de ses mains, par inadvertance. Ses mains ouvertes sur le drap. Ses mains fatiguées de tenir une vie si mince, si mesquine. J'ai pleuré,

pleuré comme si j'avais perdu ma seule amie, ma seule amour.

J'ai pris une brosse sur la table de chevet et j'ai brossé ses cheveux. Ses longs cheveux. Je les brossais et je lui demandais pardon d'être un homme si imbécile, si stupide, si incapable de l'aider, malgré tout mon amour.

Sally est morte à trente-huit ans, sans avoir mis au monde sa petite fille, sans avoir revu son mari parce qu'il ne pouvait pas négocier avec la mort de sa femme, parce qu'il ne savait pas aimer ce qui allait disparaître, l'abandonner. Sally toute seule, toute blanche avec ses mains ouvertes qui laissaient partir la vie loin d'elle, qui me laissait là à pleurer en caressant ses cheveux et en suppliant de me pardonner. Sally est morte aussi seule, aussi pauvre pour me permettre d'apprendre quelque chose que j'ai mis dix ans à comprendre. Parce que, si ça avait été quelqu'un d'autre que moi, Charlotte se serait moins acharnée.

— Peut-être, Simon, seulement peut-être.

— Oui, seulement peut-être.

— Et ça n'aurait pas donné beaucoup plus de courage ou de capacité d'amour à son mari.

— Probablement pas.

— Et votre amour était sans doute important aussi pour elle.

— Je n'en sais rien. J'ai l'impression d'avoir profité honteusement d'elle et de sa souffrance et de n'avoir même pas su dire merci.

— Vous le dites maintenant.

— Dix ans après sa mort!

— Mais vous le dites.

— Oui, je le dis et j'ai peut-être enfin appris ce que je ne voulais pas savoir.

Catherine ne lui demande pas quoi, elle aussi a appris. Peut-être moins lentement que Simon, mais elle n'en est pas sûre. Et, de toute façon, ça n'a aucune importance.

Charlotte, debout à la fenêtre de sa chambre, gorgone noire dans le carré ocre, semble attendre la fin de leur longue conversation. Depuis combien de temps est-elle là, à guetter? se demande Catherine. Simon suit son regard. Il y a comme une pause où chacun vérifie sa position vis-à-vis de Charlotte.

Finalement, Simon dit: «J'ai promis de rentrer David. De le coucher.»

— Il dort tellement profondément. Ça va être difficile de le réveiller.

— On ne peut pas le laisser dehors.

— Non?

— L'orage s'en vient, Catherine.

Simon se lève, se dirige vers David couché en chien de fusil sur la chaise longue. Catherine s'approche aussi, se penche vers David: «Je vais vous aider, Simon, il est lourd.»

Ils le soulèvent, le soutiennent chacun de leur côté. David grogne, marmonne, mais il ne se réveille pas vraiment. Ils le déposent au rez-de-chaussée, dans le petit bureau, là où il y a un divan, parce qu'il est vraiment trop lourd et trop endormi pour monter l'escalier.

Charlotte, drapée dans sa robe de chambre, debout en haut des escaliers, vigile sévère et sombre, attend. Une fois David au lit, elle descend, vient à la porte de la chambre et ne parle qu'à Simon, comme si Catherine était subitement devenue invisible: «Comment va-t-il?»

—Il va dormir. Tu peux aller te coucher tranquille.

—Je vais rester près de lui.

—Non, je ne pense pas qu'il se réveille, c'est inutile de te fatiguer. Va te coucher, Charlotte.

—Bon. Je t'attends en haut.

—Non Charlotte. Je veux tout remettre en place avant de me coucher.

—Je vais t'attendre dans notre chambre.

—Charlotte, ça peut être long. Tu devrais te coucher et dormir.

Catherine devient très visible tout à coup, éblouissante presque pour Charlotte qui regarde alternativement son mari et sa belle-fille. Une lutte féroce se joue en elle, rosit ses joues. Puis, une sorte de calme gagne. Quelle sorte de réponse Charlotte a-t-elle trouvée? Quel piège s'est-elle tendu pour contrer cette incontournable vérité qui s'impose à elle?

Elle sort du bureau, monte quelques marches, se tourne vers Catherine et lui dit: «Si tu sors, tu devrais t'habiller. Il va y avoir de l'orage. À tantôt, Simon.»

Et elle monte dignement. Elle ferme la porte de sa chambre. Catherine va dans la chambre de son fils. Il dort calmement, la Didou enroulée autour du pied gauche. Elle le recouvre tendrement. Elle prend un chandail et sort dans la nuit.

Un vent violent tord les arbres, bouscule les nuages qui courent sur la lune comme des masses mouvantes en détresse, qui s'étirent vers un salut qui se refuse toujours, recule, s'éloigne sans cesse.

Simon range en vitesse avant que le vent n'emporte tout. Catherine l'aide en silence, sans même lever la tête vers la fenêtre où, elle le jurerait, Charlotte veille en scrutant le jardin.

Ils se hâtent, courent presque du jardin à la cuisine dans le vent chaud qui arrache tout, secoue toute la torpeur de la journée. Ils s'activent comme si c'était urgent, capital. Comme si c'était un travail sérieux, exigeant une grande concentration. Dans la cuisine, ils rangent, trient, rincent dans un silence uniquement perturbé par le bruit de la vaisselle, des ustensiles, de l'eau qui coule.

Une fois la table pliée, les chaises alignées à l'abri de la terrasse, les lumières éteintes, une fois l'ordre impeccable revenu dans la nuit où le vent ne fait plus craquer que les branches des arbres, Simon prend Catherine dans ses bras et l'embrasse violemment.

Puis, il la suit vers le fond du parc, vers le bois.

En haut, la lumière de la chambre conjugale s'éteint. Il faudrait avoir de très bons yeux pour savoir si Charlotte est encore à la fenêtre pour surveiller la nuit sur le jardin tourmenté.

31

Sans un mot, sans se toucher seulement, ils marchent dans le bois sombre. Le vent violent hurle audessus de leur tête. Catherine précède Simon, le guide presque.

Arrivée à l'éclaircie lumineuse de la rivière, elle se tourne vers lui. Face à face, muets, secoués par le vent chaud, ils se taisent.

Catherine retire son chandail, son t-shirt, et les seins nus, elle s'approche de Simon qui la prend contre lui, la serre, la presse contre sa poitrine.

Il est secoué de sanglots, ne peut que pleurer en la tenant enfin, fragile et si forte, jeune et chaude et vivante contre son cœur épuisé de l'avoir tant cherchée et si peu trouvée.

L'amour est là, dans ses bras, arrivé à bon port, éphémère comme l'être humain qu'il est, incomplet, imparfait parce que voué à l'extinction, la disparition, comme lui. La seule éternité semble bien être ce cri inépuisable, cette constante exigence d'amour qu'il croyait bien pourtant avoir étouffé au fond de lui. Pour Simon, il n'existe qu'une perfection, une seule et c'est cet instant brûlant qui se consume sans ralentir dans ses bras. Cet instant qui fuit et que même la conscience de sa chute n'arrêtera pas. Cet instant précis où Catherine accède à Simon et connaît enfin le répit, le contentement, cette sorte d'exaltation infinie qui accompagne l'arrivée à un but inespéré.

Ils s'agenouillent sans se laisser, s'étendent, cramponnés l'un à l'autre, lierre et arbre, épuisés, tremblants.

Ce n'est que plus tard, beaucoup, beaucoup plus tard que Catherine lui demande de lui faire l'amour.

Et que Simon refuse.

32

— Pourquoi?

Le vent, le torrent, l'orage hurlent moins fort que Catherine, debout, à moitié nue, livide et qui attend une réponse.

— Je ne sais pas. Je ne sais pas, Catherine. Mais je ne peux pas.

— Parce que vous êtes son père, parce que je suis sa femme ou parce que Charlotte a encore raison, que je suis une putain? À cause de votre morale, votre morale parfaite de père intouchable, d'homme inatteignable? Pourquoi Simon? Peut-être que je mérite une réponse si je ne mérite pas d'être touchée?

— Je n'en sais rien. C'est seulement impossible pour moi. Je ne peux pas profiter de vous, vous prendre comme si je ne savais pas qu'après cette nuit je ne vous toucherai plus jamais. J'ai soixante ans, Catherine, je suis le père de votre mari. Je sais bien que vous le quittez, je sais que je vous aime, mais je ne l'aime pas, lui. Si je l'aimais, j'aurais peut-être moins de scrupules à vous toucher. Mais je sais bien que je n'arrive pas à l'aimer. Peut-être que je mens encore, peut-être que je vous mens, que je n'ose pas vous toucher parce que j'ai peur et c'est tout. Je n'arrive même pas à discerner mes raisons. Bien sûr que vous méritez une réponse, Catherine, vous méritez une réponse et de l'amour et beaucoup plus et beaucoup mieux que ce que je peux vous offrir.

— Mais c'est de votre amour que je veux! Allez-vous cesser de vous interroger et agir un peu? Allez-vous cesser de débattre, penser et juger pour seulement me toucher? Quelle sorte d'homme êtes-vous, Simon? Un homme de bois qui sait tellement que la chair est faible qu'il ne l'a jamais laissée vivre? Un homme qui pense que le sexe contient tout le mal, le sale, l'odieux? Êtes-vous tellement son père que vous adoptez ses propres principes? Êtes-vous tellement comme lui qu'il va falloir que je vous haïsse pour vous provoquer? Que je vous rejette pour qu'enfin vous me désiriez? Qu'est-ce que voulez que je fasse d'un amour mieux que le vôtre? D'un homme autre, ou plus jeune, ou plus vieux ou meilleur? J'ai le droit de choisir, moi aussi, et si je vous choisis, c'est moi et moi seule que ça regarde. Ne jugez pas mon choix! Ne demandez pas ce que je n'exige pas. Je le sais que demain je vais partir et qu'après je ne vous toucherai plus jamais. Je n'ai aucune illusion, je ne suis ni une enfant, ni une rêveuse. Je sais ce que pèse le désir, ce que vaut l'amour des hommes et ce que j'espère de vous. Vous avez peur? Et après? Pensez-vous que je n'ai pas peur, que je ne suis pas consciente de ce que je veux faire? Tout le monde a des problèmes de conscience, tout le monde a peur, tout le monde a des désirs. Et si chacun s'arrange avec, je ne vois pas pourquoi vous ne vous organiseriez pas vous aussi!

Vous dites que vous m'aimez et je pense que je vous crois. Vous dites que vous savez que je vous aime. C'est possible. On a lutté contre cet amour-là comme s'il était sale, rebutant, comme s'il était sacrilège. On est des idiots, Simon. Des imbéciles qui préfèrent s'enfuir plutôt que de vivre, souffrir plutôt que rire et vivre.

Je vous aime et ça vaut ce que ça vaut pour le temps que ça durera. Et ce n'est pas parce que c'est fort que c'est immortel. L'amour est la denrée la plus périssable que je connaisse. Et votre âge ne change rien. Et je voudrais qu'on cesse de se faire accroire qu'on vit une tragédie grecque parce que j'ai épousé votre fils. C'est une erreur, la nôtre, et c'est tout. C'est triste, pénible, regrettable, ce que vous voulez, mais ce n'est pas définitif. Et si on pouvait faire face de temps en temps, on éviterait peut-être quelques tragédies grecques.

On passe notre vie, vous comme moi, à se faire accroire qu'on est des héros parce qu'on a de grands sentiments et qu'on souffre. Eh bien, peut-être que nous sommes risibles et pitoyables et que si vous me preniez dans vos bras d'homme pour me faire l'amour simplement et sans déchirement et peut-être même avec un peu de rire, peut-être que personne n'en mourrait comme dans les tragédies grecques. Ni votre fils, ni votre femme, ni vous, ni moi. Peut-être qu'on cesserait de se donner de l'importance avec nos sentiments magnifiés par la douleur insondable!

Simon... avouez qu'il y a quelque chose d'absurde à passer la nuit à me bercer à moitié nue dans vos bras pour me consoler de ne pas me faire l'amour.

—J'aurais l'impression de tromper tout le monde, à commencer par vous.

— Menteur! À commencer par vous-même! Et puis après? Pensez-vous encore être de la race de ceux qui ne se trompent pas?

— Pourquoi est-ce si important pour vous que je vous fasse l'amour?

— Pourquoi est-ce si difficile à faire, Simon, si ce n'est pas le seul geste authentique et compromettant que vous pouvez oser?

— Authentique?

— Vous m'avez dit que vous aviez appris quelque chose, mais on dirait que vous ne savez rien. De quoi avez-vous vraiment envie? Pleurer, consoler Charlotte? Bercer David, le sauver? Ou me prendre, ou fuir à toutes jambes ou mourir? De quoi avez-vous vraiment envie, Simon? Trouvez-le et faites-le! Imaginez-vous donc que j'ai une petite vanité qui souffre beaucoup à se tenir debout devant vous à avoir presque l'air de vous supplier de me faire l'amour!

Elle est là, haletante, fouettée par le vent enragé à attendre qu'il fasse un geste, prenne une décision. Et il sait bien qu'il ne peut plus rien dire. Finis les arguments, les fuites, les explications, finies même les excuses. S'il veut être quelqu'un, un homme ou quelque chose d'approchant, il doit faire et cesser de parler et de penser. Risquer un geste conséquent, responsable.

Il a peur d'elle, de son courage, de cette invincibilité que revêtent pour lui ces femmes capables de vivre dans leur corps, au sein de leurs désirs sans flancher, sans faiblir. Il avait peur de la lucidité de Sally, de sa capacité de faire face à la réalité, il a eu peur de la haine sèche, sans retour, sans urgence dans les yeux d'Elsa Carrigan et il a peur de cette ferveur, de cette droiture inaltérable de Catherine que même le désir sexuel, qu'il a pourtant appris à mépriser, n'arrive ni à salir, ni à rabaisser. La noblesse de ces femmes qui savent qui elles sont et qui vivent avec. Simplement.

Le désir s'est enfui comme un vulgaire mal de dents à l'apparition du dentiste. Il a peur, seulement et uniquement peur. Ce n'est même plus l'idée du sacrilège familial qui l'arrête, c'est de plonger au cœur d'un vrai désir, sans l'occulter, en le regardant dans les yeux. Le risque prodigieux de vivre et que cette exaltation lui manque ensuite pour toujours. Ne prenons rien de peur d'en manquer un jour, se dit tristement Simon qui n'arrive même plus à être dupe de lui-même.

Catherine se penche, ramasse son t-shirt lentement, péniblement. Simon ne bouge pas. Elle sait bien qu'il a trop peur, qu'il est trop traqué pour affronter leur désir. Il va tergiverser le reste de ses jours à se trouver des raisons, des excuses, des drames, des égards même pour justifier son inaptitude à vivre. Elle est fatiguée, vidée et tellement déçue qu'elle en est presque humiliée.

Elle part sans se retourner, sans un regard pour l'homme pétrifié qui demeure face à la rivière, à contempler le néant, pendant que de grosses gouttes de pluie chaude commencent à tomber.

33

Elle était occupée à saccager la roseraie, la détruire, centimètre par centimètre, quand Simon surgit du sous-bois en courant comme poursuivi par le diable.

Armée de son chandail comme d'une faux, Catherine tranche la tête des roses à grands coups vengeurs.

Simon s'arrête, à bout de souffle, épuisé par sa course affolée et la regarde s'acharner sur les roses avec toute la fureur dont elle est capable. La pluie tombe en rafales sur la roseraie.

Puis, en prenant un élan particulièrement intense pour piétiner un enchevêtrement rose et blanc «artistiquement» réussi, elle le voit. Le bras levé, interdite, elle le regarde, cherchant à comprendre ce qu'il fait là, ce qu'il veut encore.

Simon avance vers elle, entre dans la roseraie et, d'un coup, très vite, il saisit le chandail qu'elle portait à bout de bras, le rejette et la prend dans ses bras, l'étend sur la terre chaude, humide, contre les pétales odorants et murmure en l'embrassant sans arrêt: «Plus tard... Plus tard le saccage, Catherine. Tantôt, mon amour... Je t'aiderai.»

Et enfouis sous les roses, mouillés, trempés, égratignés, ils roulent ensemble sans même chercher à épargner ce qui subsistait du ravage précédent, ajoutant au vandalisme.

Et le vent et la pluie couvrent leurs plaintes et leur plaisir.

34

Dans la roseraie dévastée, écrabouillée sous leur étreinte, Catherine est étendue, face au ciel qui vire lentement au gris plus clair du jour qui tente de percer sous la pluie.

Près d'elle, Simon s'étire pour récupérer un vêtement qui les mettrait à l'abri de la pluie fine, tenace, qui a succédé à l'orage.

Ils écoutent la pluie calme tomber sur les feuilles déchiquetées, sur les roses détruites. Plus un souffle de vent, seule leur respiration paisible, adoucie par l'amour et la tranquille musique de la pluie chaude.

En se soulevant sur les coudes, Catherine tente d'évaluer les dégâts: «Je crois, Simon, que des vandales sont passés dans la roseraie.»

— Oui, je vais faire venir la police pour faire un constat: c'est l'œuvre de dix ans de travail qu'ils ont saccagé.

— Dix ans?

— Oui, madame, dix ans de travail régulier, tenace, séculier presque, dix ans que ce jardin occupe mes pensées comme une femme, comme un rêve d'évasion. Catherine...

— Oui?

— Rien. Je voulais dire ton nom.

— Rien d'autre?

Elle se retourne, roule, s'étend sur lui, prend son visage dans ses mains, le contemple, l'embrasse. Une rose presque parfaite oscille près de son oreille.

— Rien d'autre, t'es sûr?

— Non, c'est vrai: je voulais dire que je crois que j'ai commencé cette roseraie le jour où j'ai su que Charlotte et moi, c'était fini. Comme pour fleurir un immense tombeau. C'est fou, c'est ce qui m'est venu...

— Et c'était à la mort de Sally.

— Coïncidence.

— Oui, oui, bien sûr: coïncidence pure!

Il rit. Elle l'embrasse encore, ses jeunes seins contre sa poitrine. Il essaie de la retenir, la prendre plus étroitement dans ses bras, le désir réveillé. Elle se cambre, s'éloigne un peu, touche ses sourcils humides.

La Jaune arrive en miaulant, toute mouillée, toute piteuse. Elle s'approche, respire les cheveux trempés de Catherine, ronronne un peu, satisfaite, et va s'installer à deux pas de leur aura chaleureuse. Elle se lèche consciencieusement, indifférente à leurs baisers.

— Simon... je vais partir. (Elle indique la maison de la tête.) Avant que cet autre tombeau se réveille. Je vais prendre Julien et partir avec la voiture.

— David?

— Si c'est possible de le ramener dans votre voiture... J'aurai quitté la maison ce soir, sans problème.

— Partir... Catherine, il n'y a aucun moyen?

— Il y en a sans doute beaucoup. Mais je ne veux pas.

— Alors il n'y en a pas.

— Alors il n'y en a pas.

Elle s'assoit dans les pétales mouillés, les pieds sur le ventre de Simon. Elle se secoue, passe la main dans ses cheveux humides et se tourne vers la maison.

Là, à l'orée de la roseraie, debout dans le petit matin blanchi, livide, droite et rigide sous la pluie, Charlotte attend. Elle dégouline de pluie, ses cheveux pendent lamentablement, elle n'a presque plus de bouche tant ses lèvres sont serrées, aspirées vers l'intérieur. Immobile, son regard n'attendait que les yeux de Catherine. Depuis quand est-elle là?

Sans quitter Charlotte des yeux, Catherine tend une main aveugle vers Simon, agite son pied, tente de l'alarmer sans un mot. Mais il a déjà perçu la différence de tonus dans son corps, la raideur soudaine de son dos et, inquiet, il se redresse.

Dès qu'elle le voit, l'aperçoit, comme si elle n'attendait que lui pour enfin réagir, Charlotte soulève le lourd fusil de chasse qui pendait le long de sa robe de chambre, épaule, vise et tire.

Un coup.

Affolée, la Jaune tente de s'enfuir.

Charlotte tire une seconde fois.

Elle a toujours été excellente pour viser, que ce soit au tir ou aux fléchettes.

Elle a toujours été excellente, point.

Simon est couvert de sang. Catherine, le ventre presque éclaté, a ricoché sur lui avant de retomber au sol, dans le fouillis des roses.

Son visage intact n'exprime qu'une intense surprise. Sans un regard pour Charlotte, Simon se penche, prend Catherine doucement, délicatement sur ses genoux. Il couvre ses seins avec son bras et s'incline vers son visage.

Un à un, il retire les pétales et puis la terre, et puis le sang qui maculent ses joues, son front. Il le fait comme s'il avait l'éternité devant lui. Sans pleurer, sans gémir, sans supplier. Comme un homme, n'est-ce pas, Catherine? Mais Catherine ne répond pas.

Étrangement, il ne ressent plus rien, il ne sent ni la pluie, ni le jour qui se lève sur le visage blême, à la peau translucide et aux narines pincées. Hypnotisé, il continue de passer et repasser ses doigts sur le visage maintenant nettoyé, parfaitement lisse de toute impureté, à part la cicatrice maintenant refermée sur sa bouche close. Ses mains, les mains de Catherine reposent, ouvertes, de chaque côté de ce qui fut son ventre. Simon en prend une, la place doucement, tendrement sur son cœur en tentant de la refermer.

La voix de Charlotte sèche, cassante, l'interpelle: «Simon, ça suffit! Laisse-la. Laisse-la maintenant! Il va falloir trouver une explication pour David. Quelque chose de plausible. Pour la police aussi d'ailleurs.»

Tant de lucidité! Tant de sens pratique! Un haut-le-cœur relève la tête de Simon. Charlotte se tient toujours à la même place dans le gazon vert détrempé, les yeux froids et le fusil, le fusil de chasse de son propre père à lui, toujours armé sur l'épaule. Dans son intense satisfaction, elle a négligé de rabattre l'arme et elle a l'air de le menacer encore.

Cette femme est démente, il faut qu'elle soit folle! Qui pourrait-il supplier pour avoir la confirmation de la folie de cette vieille femme fripée qui le tient en joue alors qu'il berce un cadavre?

— Tu as entendu, Simon? Il ne faut pas que David la voie comme ça. Ça pourrait l'affecter.

Il se sent si nu soudain, si seul au milieu des cadavres de Catherine et de la Jaune. Il serre encore la main de Catherine, très fort. Mais il est infiniment abandonné au cœur de son néant.

Épuisé, supplicié, il ferme les yeux et demande: «Tue-moi! Je t'en supplie, tue-moi! Tue-moi!»

Il ne crie pas, il n'ouvre même pas les yeux pour vérifier si sa prière, la seule qu'il sait et puisse faire, est entendue.

Il reste là, damné, pétrifié, serrant la main de Catherine contre son cœur fou pendant que Charlotte s'éloigne vers la maison, sans un mot.

Et dans le silence assourdissant, il redépose lentement la main de Catherine sur les roses. La main qui s'ouvre d'elle-même laissant s'échapper la vie comme si c'était une petite balle qui roule et s'enfuit.

FIN

Le Barroux, juillet 1987 – Vinalhaven août 1988.